D0227117

LA DÉCLARATION

DU MÊME AUTEUR

Judith Hearne, Plon, 1959.

Une réponse des limbes, Plon, 1964.

Chrétiens demain, Presses universitaires de Lille, 1977.

Le Fol Été de Sheila Redden, éd. Pierre Tisseyre, 1978.

Robe noire, Payot, 1986.

La Couleur du sang, éd. du Roseau, 1987.

Les Trahisons du silence, Le Rocher, 1993.

Dieu parle-t-il créole ? L'Olivier, 1994.

BRIAN MOORE

LA DÉCLARATION

Traduit de l'anglais (Canada)
par Karine Laléchère

Postface
de François Delpla

l'Archipel

Ce livre a été publié sous le titre
The Statement
par Plume, département de Penguin Group,
New York, 1997.

Si vous souhaitez recevoir notre catalogue et
être tenu au courant de nos publications,
envoyez vos nom et adresse, en citant ce
livre, aux Éditions de l'Archipel,
34, rue des Bourdonnais, 75001 Paris.
Et, pour le Canada, à
Édipresse Inc., 945, avenue Beaumont,
Montréal, Québec, H3N 1W3.

ISBN 2-84187-561-X

Copyright © Brian Moore, 1996.
Copyright © L'Archipel, 2004, pour la traduction française.

1

R. ne se sentait pas chez lui dans le Sud. La chaleur, l'accent, la monotonie des vignobles, les places de village converties en parking et les touristes qui se bousculaient sur les trottoirs exigus comme des vaches égarées. Surtout les touristes : c'était à cause d'eux qu'il avait tant de mal à suivre le vieux. Depuis que R. était arrivé à Salon-de-Provence, quatre jours plus tôt, il l'observait. Tout concordait. À commencer par l'âge. Le jeune homme de la photographie pouvait fort bien être devenu ce vieillard. De plus, il séjournait chez des moines bénédictins, dans les collines au-dessus de Salon. L'Église était impliquée, c'était un fait avéré. Pourtant R. hésitait encore. Il ne serait sûr qu'il s'agissait bien de Brossard que lorsqu'il le verrait réclamer la lettre. Elle avait été postée l'avant-veille de Paris. R. avait passé les trois premiers jours dans un bar de la rue du Maréchal-Joffre, en face du Montana. Tous les après-midi, le vieux arrivait à 14 heures. Il commandait un café, allait s'asseoir et lisait *Le Monde* de la première à la dernière page. Le courrier arrivait vers 15 heures. Les jours précédents, Brossard, s'il s'agissait bien de lui, n'avait prêté aucune attention au passage du facteur. Il quittait le Montana aux alentours de 15 h 30 et se rendait à pied jusqu'à la place Saint-Michel, où il récupérait sa petite Peugeot. En chemin, il s'arrêtait dans une pâtisserie pour acheter une tartelette aux amandes, qu'il déballait et mangeait dans sa voiture. Puis il sortait de la ville et grimpait la route déserte qui menait à l'abbaye de Saint-Cros. Là, le portail du monastère s'ouvrait pour laisser entrer sa voiture, et il ne ressortait pas avant le lendemain.

On avait averti R. que la lettre arriverait très certainement au Montana le 2 mai. Le 2 mai, donc, quatrième jour de guet, au lieu de s'asseoir dans le café d'en face, il entra au Montana. Il s'installa au fond de la salle et commanda un sandwich et une bière. Le vieux occupait sa table habituelle, à côté de la porte. Le facteur se présenta à 15 h 05. Il alla au comptoir, salua le barman, lui fit signer un formulaire et lui laissa une demi-douzaine de lettres. R. remarqua que le vieux tournait la tête vers le zinc tandis que le facteur s'éloignait. Le barman tria les lettres et en retira une de la pile, qu'il posa sur un plateau. Aussitôt, R. se leva et s'avança à son tour jusqu'au comptoir. Il demanda de la monnaie pour jouer au flipper. Pendant que le barman comptait ses pièces, il s'approcha du plateau et reconnut le cachet de la poste de Paris, ainsi que l'adresse dactylographiée : « M. Pouliot, bar Le Montana, 6, rue Saint-Michel 13100 Salon-de-Provence. » Pouliot était le nom d'emprunt que Brossard utilisait pour son courrier. R. se dirigea alors vers le flipper qui se trouvait à côté des toilettes. Il entama une partie, donnant des bourrades à la machine pour aiguiller les billes d'acier. Il en était à sa troisième partie quand le vieux se leva et dit quelques mots au barman. Ce dernier lui répondit par un hochement de tête et lui désigna la lettre sur le plateau. Dès que le vieux eut pris la lettre, R. abandonna le flipper et retourna à sa place. Il mit de l'argent sur la table pour payer sa consommation, sans cesser de surveiller l'autre homme. Il le vit ouvrir l'enveloppe, regarder son contenu, en extraire un mandat et l'étudier. R. savait qu'il s'élevait à 15 000 francs. Brossard – car c'était Brossard, cela ne faisait plus aucun doute à présent – glissa la lettre dans la poche de sa veste et reprit son journal. Il lut encore pendant vingt minutes, puis posa de la monnaie dans la soucoupe devant lui, coinça le quotidien sous son bras et sortit.

R. lui emboîta le pas. Comme d'habitude, la rue grouillait de touristes et, comme d'habitude, R. eut toutes les peines du monde à ne pas perdre le vieux de vue. Au coin de la rue du Maréchal-Joffre, il prit une ruelle escarpée, suivant le trajet familier qui menait au parking où se trouvait sa voiture. En arrivant place Bourbon, le vieux pénétra dans la pâtisserie du Midi et se joignit à la courte queue pour acheter sa tartelette aux amandes. R. l'attendit dehors, s'abritant sous un platane un peu plus loin. Les autres jours, il ne mettait pas aussi longtemps. R. tenta de se détendre en respirant plus profondément, mais c'était peine perdue. Lorsque le vieux ressortit enfin de la boutique et se dirigea vers le parking, son petit paquet se balançant délicatement au bout d'une ficelle glissée à son doigt, R. le dépassa pour arriver le premier. Sa voiture de location était garée à une rangée de la Peugeot.

Brossard allait s'asseoir pour manger sa tartelette avant de rentrer au monastère. La veille, R. avait décidé que, le moment venu, il quitterait le parking sans l'attendre et irait se poster à l'endroit prévu, bien avant le passage de la Peugeot. Mais si le vieux ne rentrait pas au monastère ? Si, à présent qu'il disposait de son argent, il lui prenait l'envie d'aller ailleurs ? R. ne pouvait pas se permettre de prendre un tel risque. Il était donc préférable qu'il attende qu'il ait fini de manger. Alors il le filerait jusqu'à la sortie de la ville et doublerait la petite auto blanche quelque part sur la route principale, en la gardant toujours dans le rétroviseur, pour s'assurer qu'elle prenait bien la route du monastère. Deux jours plus tôt, quand R. était allé faire un repérage, il avait choisi un endroit en hauteur, au niveau d'un virage en épingle à cheveux, encadré par un ravin et un promontoire rocailleux.

Sa voiture de location, garée à l'une des extrémités du parking, n'avait pas bénéficié de l'ombre des platanes. À l'intérieur, il faisait une chaleur suffocante. Il s'assit, en sueur, portières grandes ouvertes, et regarda l'autre cochon se goinfrer, indifférent aux miettes collées à son menton. R. ouvrit la fermeture éclair de son porte-documents et jeta un coup d'œil à la feuille de papier dactylographiée qui se trouvait à l'intérieur, puis à son arme. Il reposa la serviette sur le siège passager, sans la refermer. Il leva les yeux et, enfin, vit une main désinvolte jeter l'emballage de la pâtisserie par la vitre avant. Le moteur de la vieille Peugeot s'ébroua avec un raclement.

Pour sortir de Salon, R. s'inséra à la suite de l'auto blanche dans une file de véhicules qui avançait à la vitesse d'une procession funéraire. La veille, lorsqu'il l'avait suivi, il avait laissé d'autres voitures s'intercaler entre eux. Mais aujourd'hui, il préférait le serrer de près, pour le cas où le vieux déciderait de ne pas retourner au monastère.

À sept kilomètres de Salon, R. le doubla. Il n'avait pas à s'inquiéter. Brossard se rendait bien à Saint-Cros. Cependant, lorsqu'il quitta la route principale pour emprunter le chemin sinueux qui grimpait à l'abbaye, R. se crispa. Juste au moment où il franchissait le premier virage, la Peugeot bifurqua également et se précipita dans le piège qu'il lui avait tendu. R. accéléra. Il prit des risques pour creuser la distance qui les séparait et avoir le temps de se mettre en position. Il roula encore trois kilomètres avant d'arriver au virage en épingle à cheveux. Le monastère se trouvait à moins de deux kilomètres de là.

R. se rangea sur le talus inégal et bloqua le capot ouvert, pour donner l'impression d'une panne. Puis il attrapa le porte-documents sur le siège passager et vint se planter au milieu de la route.

Un calme mortel régnait sur cet austère désert d'altitude. Le soleil cognait sur les rochers tel un châtiment.

Il écouta. Il n'entendit d'abord que les stridulations des cigales, puis un bruit de tonnerre lointain. Enfin la lente plainte du moteur s'éleva, tandis que la petite auto blanche se profilait sur la route. R. passa sa langue sur ses lèvres sèches. Il attendait qu'elle arrive à sa hauteur, répétant silencieusement son texte comme un acteur. La Peugeot n'était plus qu'à trente mètres. Il leva son porte-documents, l'agita et vit la voiture ralentir, puis s'approcher au pas. Il baissa le bras, crispa son visage en un sourire et avança vers la portière du conducteur.

— Désolé, mais vous voyez… dit-il en montrant sa propre voiture. Vous allez au monastère ? Vous ne pourriez pas me déposer ?

Le vieux le regarda. La Peugeot n'était pas climatisée. Toutes les fenêtres étaient ouvertes. Brossard hocha la tête en signe d'acquiescement. R. nota qu'il avait encore des miettes collées à son menton. Il s'approcha plus près de la voiture, levant son porte-documents comme s'il allait le coincer sous son bras. Au lieu de quoi, il plongea sa main à l'intérieur et en sortit son arme. Pendant tout ce temps, il n'avait pas quitté le vieux des yeux. Le vieux considéra le pistolet qui le visait et, sans hâte, il pointa à son tour un lourd revolver noir par la vitre avant de la Peugeot. R. sentit l'impact de la première balle dans sa poitrine. Il tomba lorsque la seconde l'atteignit, toujours dans la poitrine. Ses doigts s'ouvrirent et laissèrent échapper l'arme qui ripa sur la route blanche et poussiéreuse.

Le vieil homme ouvrit la portière de sa voiture, sortit et traversa la route, la démarche un peu raide. Avec une aisance qui dénotait une longue expérience, il plaça son revolver contre la nuque de R. et lui délivra le coup de grâce.

Le mort était tombé sur son porte-documents. Comme il est fréquent lorsque la balle fatale est tirée à bout portant, une ultime convulsion fit changer le corps de position, révélant une feuille de papier qui dépassait de la serviette. Brossard retourna à son véhicule pour y prendre une paire de gants en caoutchouc jaune. Il les enfila et attendit quelques instants, à l'affût du moindre bruit. Il n'entendait aucune voiture sur la route, mais il savait qu'il devenait dur d'oreille. Surtout, ne pas perdre de temps. Il s'approcha, sortit la feuille du porte-documents et la glissa sans la lire dans sa poche. Il ramassa ensuite l'arme qui était tombée et la mit avec le porte-documents dans la voiture du mort. Alors, s'arc-boutant, il attrapa le cadavre par les chevilles. Il y avait beaucoup de sang. Il traîna le corps jusqu'à la voiture, laissant des traces sur la chaussée. Il s'arrêta pour reprendre son souffle. Il n'était pas sûr d'avoir la force nécessaire pour le soulever et l'installer sur le siège avant. Aussi prit-il son temps. Lorsqu'il eut terminé, il écouta encore. Tout était silencieux. Il se pencha sur le corps pour chercher son portefeuille. Il trouva aussi un passeport étranger. Il fourra le tout dans sa poche. La clé de contact était restée sur la voiture. Il la tourna. Il regarda l'homme attentivement; il ne lui rappelait rien. Il l'avait traîné sur le ventre et son visage était sanguinolent. Il positionna le volant, passa une vitesse et tira sur une des chaussures du mort pour la caler contre l'accélérateur, avant de s'extraire de la voiture qui commençait à avancer en direction du ravin. Elle bascula et s'écrasa sur les rochers, vingt mètres plus bas. Le vieil homme s'avança au bord du gouffre et regarda le grand nuage de poussière, curieux de voir si la voiture allait s'enflammer. Mais elle ne prit pas feu.

Il retourna à sa voiture. Il ôta les gants de caoutchouc et les retourna, avant de les ranger à leur place. Puis il démarra et s'éloigna.

Hier soir, en sortant du Montana, lorsque je l'ai vu de l'autre côté de la rue, j'ai marché très lentement et j'ai attendu. Il m'a suivi jusqu'au parking. Et aujourd'hui, il était encore là. Et c'est lui qui agitait son porte-documents au milieu de la route.

Brossard roula lentement jusqu'à un virage en surplomb, où il gara sa voiture pour observer la route en dessous. Aucune voiture ne montait. Il plongea alors la main dans sa poche et en sortit le passeport étranger et la feuille dactylographiée.

DÉCLARATION

JUSTICE POUR LES
VICTIMES JUIVES DE DOMBEY

Cet homme est Pierre Brossard, ancien chef du deuxième service de la milice de Marseille, condamné à mort par contumace en 1944, puis en 1946, et accusé de crimes contre l'humanité pour le meurtre des quatorze juifs de Dombey, dans les Alpes-Maritimes, le 15 juin 1944. Aujourd'hui, après quarante-quatre ans de reports, de faux-fuyants légaux, et malgré les efforts de l'Église catholique qui a tenté de soustraire Brossard à la justice, les morts sont vengés. Cette affaire est close.

Brossard ouvrit alors le passeport. Il examina la photo. Puis le nom. David Tanenbaum. Âge : quarante-deux ans. Un instant, il eut le sentiment de revivre le passé, de revenir à l'époque où il régnait sur les documents administratifs, où il pouvait décider du destin de la personne qui lui tendait un passeport ou une carte d'identité par-dessus son bureau.

Le portefeuille de la victime contenait 6 000 francs et un permis de conduire canadien au nom de David Tanenbaum. Il ne renfermait aucun autre document, pas même de carte de crédit. Brossard prit les 6 000 francs. Le portefeuille, le passeport et la feuille dactylographiée rejoignirent les gants en caoutchouc tachés de sang et le revolver dans la boîte à gants. Sur le tableau de bord de sa voiture, il avait fixé une médaille de saint Christophe, achetée à Marseille en 1943, un jour après avoir réquisitionné la voiture de Lehman pour son utilisation personnelle. C'était une jolie petite médaille en argent fin, où l'on voyait le saint barbu franchir un gué dangereux, l'Enfant Jésus sur ses épaules. Saint Christophe : le patron des voyageurs. En ce temps-là, beaucoup de gens plaçaient des médailles comme celle-ci sur le tableau de bord de leur voiture pour se prémunir contre les accidents. Brossard avait fait bénir la sienne. Grâce à elle, il avait pu oublier qu'il était assis sur le siège d'un juif. Depuis, la médaille ne l'avait plus quitté, changeant de voiture avec lui. Une fois de plus, aujourd'hui, saint Christophe l'avait protégé.

La route se rétrécit. Elle était maintenant à peine plus large que le chemin charretier qu'elle avait été pendant des siècles. Puis, tandis que la petite voiture tournicotait sur le flanc des collines plantées de vignes, les hauts murs vénérables et l'imposant toit de pierre de l'abbaye de Saint-Cros apparurent à l'horizon, vibrant dans la chaleur de l'après-midi. La Peugeot s'approcha du lourd portail de bois. Le vieillard klaxonna deux fois et, lentement, les battants s'ouvrirent, révélant une longue cour intérieure, au pavage inégal constellé de fleurs sauvages. La voiture traversa la cour en cahotant pour aller se ranger dans les écuries où, en dessous d'un grenier rempli de foin, étaient déjà garés deux tracteurs, une 2 CV fourgonnette et une vieille Panhard quatre places.

Tous ces véhicules appartenaient au monastère. Pas de visiteur. Parfait. Il tourna la tête et vit le portail se refermer. L'abbaye était une forteresse. Construite au XIVe siècle, c'était l'un des berceaux du chant grégorien, au même titre que l'abbaye bénédictine de Metz. Il connaissait par cœur ce genre de détails. Il avait été l'hôte de tant d'abbayes, presbytères et autres lieux de retraite. Au fil des années, il avait entendu tant de récits sur les victoires et les revers de la religion, sur les saints, les miracles et les actes pieux. Il avait toujours été à l'aise dans les maisons religieuses, que ce soit chez un simple curé ou dans le fastueux palais d'un archevêque. Mais c'était dans les monastères qu'il se sentait le mieux. Là, l'hospitalité était une règle héritée de siècles de foi. Le souvenir d'un temps où l'Église n'était assujettie à aucune autorité, où elle était libre d'offrir l'asile aux fugitifs de son choix. Au-delà des murs du monastère, le monde n'existait pas. Les moines ne regardaient pas la télévision, ne lisaient pas les journaux. C'était le plus important. Surtout en ce moment.

Après avoir verrouillé sa voiture, il traversa le cloître principal et prit l'allée ombragée qui menait au modeste bureau du père hospitalier. Là, il trouva le père Jérôme, un petit homme de son âge, voûté devant l'écran d'un ordinateur.

— Ah ! monsieur Pierre, dit le père Jérôme sans lever les yeux. Vous vouliez me voir ?

Il ne semblait pas ravi de cette interruption.

— Oui, mon père. Je dois vous quitter. Un problème familial.

À l'abbaye de Saint-Cros, il se sentait particulièrement en sécurité. L'abbé, un vieil ami, avait depuis longtemps donné instruction au père hospitalier de l'accueillir à toute heure du jour ou de la nuit. Aujourd'hui encore, malgré les années et ses maints séjours, le père Jérôme ne le connaissait que sous le nom de Monsieur Pierre. Le religieux ne s'enquit pas de la nature de ce problème. Cela ne le regardait pas.

— Je vous souhaite bon voyage, dans ce cas. Vous comptez partir demain matin ?

— Hélas, je dois prendre la route dès ce soir.

Le père Jérôme fit un signe de la tête et pianota sur son clavier. L'entretien était terminé. Brossard sortit. En passant devant la chapelle, il inclina respectueusement la tête. Il traversa la cour principale, au bout de laquelle se trouvait le grand atelier où les moines fabriquaient des poteries, qu'ils envoyaient ensuite à des grossistes, à Dijon et à Paris. Il traversa le réfectoire vide et escalada les quelques marches de pierre qui menaient à la tourelle où logeaient les visiteurs. Basse de plafond, dotée d'épais murs de pierre, sa chambre se trouvait tout en haut, sous le toit. Son mobilier consistait en un petit lit, un prie-dieu et un sévère fauteuil en bois. Il y avait une cuvette pour se laver et le traditionnel crucifix au mur, près de la fente étroite de la fenêtre d'où l'on apercevait une partie du clocher. Il ne se déplaçait jamais sans les trois valises qui contenaient ses vêtements, des documents et quelques souvenirs. En outre, comme il n'y avait généralement rien pour suspendre les habits dans les cellules monacales, il transportait aussi une penderie de voyage en plastique, qu'il avait coutume de placer contre la porte. Les verrous étaient inconnus dans les monastères. La penderie servait donc également de sonnette d'alarme, au cas où quelqu'un aurait voulu entrer sans prévenir. Sur le prie-dieu, il avait placé une reproduction d'un tableau du XVIIe représentant la Vierge Marie et un missel rempli de cartes et d'images pieuses.

Il s'assit sur le lit étroit et prit son pouls. Il avait des vertiges et se sentait essoufflé. Ce n'était plus comme avant. Le danger avait changé. Échapper à la police et aux tribunaux ne suffisait plus. Ses ennemis mortels étaient proches, plus proches qu'ils ne l'avaient jamais été. Ils savaient qu'il serait au Montana, qu'il attendrait la lettre. Comment avaient-ils pu l'apprendre ? Qui étaient-ils, à quel groupe appartenaient-ils ? Des Français ? Des Américains ? Il regarda encore une fois le passeport. Canadien. Mais il pouvait être faux. Je dois m'allonger un moment. Du calme. Du calme.

Il revit l'étranger s'avancer vers lui, lever son porte-documents et sortir le revolver. Et si j'avais relâché ma garde après toutes ces années, si j'avais perdu cette sensation d'être toujours traqué ? Mais Dieu soit loué, Il m'a protégé comme Il m'a toujours protégé par le passé. Il faudra que je Le remercie tout à l'heure, pendant les dévotions. Mais non, il faut que je parte au plus vite. À coup sûr, un vigneron va voir la voiture en passant au-dessus du ravin. Et la police viendra ici, car la route ne dessert que l'abbaye. Allez, debout. Fais tes bagages.

Lorsqu'il eut démonté la penderie en plastique et bouclé ses valises, ses vertiges le reprirent. Il se sentait mal. Il descendit l'escalier en colimaçon de la tourelle et se rendit au réfectoire, où quelques frères épluchaient des pommes de terre. Il leur demanda de l'aide. Frère Raphaël, un moine à l'air vigoureux, monta avec lui chercher ses bagages. Il préférait porter lui-même une des valises – celle qui renfermait ses collections –, car la serrure en était usée. Si elle s'ouvrait, elle laisserait échapper ses drapeaux et sa panoplie de souvenirs allemands, autant d'objets monnayables qui, pour certains, valaient même une coquette somme. Ce petit commerce arrondissait ses fins de mois.

Lorsque la petite Peugeot fut chargée et prête à partir, il était plus de 17 heures. Les dévotions étaient à 18 heures et, en général, l'abbé descendait dans le cloître principal entre 17 h 30 et 18 heures pour marcher un peu avant de célébrer la messe. À 17 h 20, il monta au cabinet de travail de l'abbé et frappa à la porte.

— Oui ? cria une voix.

— C'est Pierre, père abbé. Est-ce que je peux vous parler ? Juste un instant.

— Entrez, entrez.

Le cabinet de l'abbé était une vaste pièce nue, meublée d'un grand bureau en bois brut surmonté de deux casiers en teck débordant de courrier. Derrière le bureau, sur une chaise à haut dossier qui ressemblait à un banc d'église, était assis Dom Vladimir Gorchakov : grand, barbu et austère, un lourd crucifix passé comme une dague à sa ceinture.

— Oui, Pierre ? De quoi s'agit-il ?

— Je venais juste vous remercier, père abbé. Une fois de plus, j'ai abusé de votre hospitalité. Mais je vous quitte ce soir. Je pense qu'il est temps de partir.

— Ce soir ?

L'abbé marqua sa surprise d'un haussement de sourcils.

— Voilà qui est assez soudain. Rien de grave, j'espère ?

Mieux valait ne rien dire, inventer une excuse.

— Non, c'est juste que je viens d'apprendre qu'on avait confié mon dossier à un nouveau juge d'instruction qui s'est plaint du manque de zèle de la police. J'ai le sentiment que, dorénavant, il serait plus sage que je ne reste pas plus d'une semaine ou deux au même endroit.

— Ce n'est pas la première fois que votre dossier change de mains. Vous survivrez à ce juge d'instruction comme aux autres. Toutefois, permettez-moi d'en profiter pour évoquer un autre point. Je ne voulais pas vous inquiéter avec ça, mais le fait est qu'avec cette nouvelle fièvre médiatique déclenchée par votre dossier, l'archevêque de Lyon, le cardinal Delavigne, qui se trouve être le président du Conseil des évêques, va ouvrir sa propre enquête. Il a nommé une commission laïque, des historiens, pour découvrir pourquoi nous sommes aussi nombreux à soutenir votre cause depuis toutes ces années. Je risque donc d'être interrogé au sujet de vos visites.

— Mon départ tombe à point, donc ?

— Peut-être. Mais n'oubliez pas que vous serez toujours le bienvenu ici.

— Merci, père abbé. Le cardinal Delavigne n'est pas des nôtres, n'est-ce pas ?

— Non.

L'abbé se leva, comme pour signifier que la conversation était terminée.

— Bon voyage, mon fils. Et que Dieu soit avec vous.

— Merci, père abbé. Merci pour tout.

Il voulait être déjà loin lorsque la nuit tomberait. Il avait une mauvaise vision nocturne, et ses lunettes ne l'aidaient plus guère. Autrefois, il était trop vaniteux pour les mettre, surtout quand il portait l'uniforme.

À présent, il se disait qu'il payait le prix de cette fatuité de jeunesse. Bien sûr, en ce temps-là, il devait tenir son rang. Il était un jeune porte-étendard du nouvel ordre du Maréchal. À l'heure où la France avait été vaincue par sa propre faiblesse, il était de ceux qui voyaient la pente à gravir, la montagne à conquérir. Et sa vanité n'avait rien de surprenant, quand les femmes elles-mêmes le trouvaient séduisant. Nicole ne lui disait-elle pas que ses yeux étaient d'un bleu perçant ? Il avait les cheveux blonds, la peau blanche et lisse. Pendant les années où il avait travaillé avec le commandant Knab de la Gestapo, celui-ci aimait à lui répéter qu'il avait le physique d'un « pur aryen » – le compliment suprême dans la bouche de Knab. Et il avait toujours paru moins que son âge. « Un enfant de chœur avec une gueule d'ange », selon cette garce de Belge qui avait donné son signalement à la Sûreté à Paris. C'était en 1953 et il avait trente-quatre ans.

En revanche, il n'avait pas dédaigné les lunettes de soleil du temps de ses années parisiennes. Jacquot et lui en portaient chaque fois qu'ils menaient une opération. Jacquot disait qu'elles étaient comme un masque ; qu'après, lorsque les gens essayaient de les décrire, ils se souvenaient uniquement des lunettes teintées. Et c'était vrai. Depuis, il en gardait toujours une paire dans sa voiture. Les portes du monastère s'ouvrirent grand devant lui. Il avait le soleil dans les yeux. À peine le portail franchi, il fouilla dans la boîte à gants. Il trouva ses lunettes sous les gants tachés de sang. Il faudrait les laver. Et montrer le passeport et la feuille de papier au commissaire. Celui-ci connaissait bien ce genre de groupes.

Avignon n'était qu'à une cinquantaine de kilomètres. Un trajet sans difficulté. La route du monastère était déserte. Il ralentit au niveau du ravin, mais ne s'arrêta pas. Il craignait que la police ou une ambulance ne soit en bas. Il continua, ignorant si la carcasse de voiture avait été découverte ou non.

Une fois sur la route principale, il prit la direction d'Avignon. Il fit halte au premier garage et demanda un téléphone. Tandis que le pompiste faisait le plein, il entra dans la cabine et composa le numéro d'Avignon.

— Madame Vionnet ?

— C'est de la part de qui ?

— Pourrais-je parler à votre mari ? C'est monsieur Pierre. Merci, madame.

Son coup de fil n'était pas prévu. Il était convenu depuis longtemps avec le commissaire qu'il n'appellerait qu'en cas d'urgence.

Après un long moment, il entendit des pas.

— Allô, oui ?

— Bonjour, c'est monsieur Pierre. Je suis dans le coin. Je me demandais si je pouvais passer ce soir pour vous montrer une série du Congo belge. De l'État libre du Congo plus précisément. Avec un portrait du roi Léopold II. Des timbres magnifiques, monsieur. Est-ce que vous seriez intéressé ?

— Où êtes-vous ?

Le commissaire semblait irrité.

— Je viens de quitter Salon.

Il y eut un silence.

— Je suis sur le point de passer à table. Mais bon, d'accord. Je pourrai vous voir quelques minutes à… disons, 21 heures.

— Merci.

21 heures. Il faudra donc que je conduise de nuit. Je vais devoir prendre une chambre pas trop loin de chez lui, dans un hôtel touristique. Si on me demande quelque chose, j'utiliserai ma carte d'identité au nom de Pouliot. Mais on ne me demandera rien. On ne demande plus rien aujourd'hui, ce n'est pas comme avant. Quand même, dormir à l'hôtel, ce n'est pas prudent.

Il arriva à Avignon peu après 19 heures. Il faisait encore jour. Il se rendit d'abord avenue Delambre. Il passa devant la modeste villa en stuc rose du commissaire, située à une rue d'un grand centre commercial, dans une banlieue anonyme, juste à la sortie des remparts médiévaux. Quand était-il venu ici pour la dernière fois? Sept ans plus tôt? Il dépassa l'hypermarché et, une rue plus loin, trouva ce qu'il cherchait : un hôtel. Il entra et réserva une chambre. On ne lui demanda même pas de remplir un formulaire. Il monta une valise dans la chambre, puis reprit sa voiture. À la cafétéria du centre commercial, il commanda des saucisses, des frites et une bière. Il aurait préféré le plat du jour, le steak-frites, mais son bridge avait recommencé à bouger. Ses dents étaient une source de tracas. Il y avait la douleur et la gêne, mais aussi le problème des dossiers médicaux. Sans identité officielle, pas de remboursements. Cela faisait seulement quelques années qu'il pouvait enfin bénéficier de soins dentaires décents, grâce aux bons offices de Dom Adelbert, à Montélimar.

Au milieu du repas, il fut pris de nausées. Cela faisait beaucoup pour une seule journée. Ce n'était pas uniquement le juif et l'émotion, mais aussi l'autre mauvaise nouvelle. Si je n'étais pas allé trouver l'abbé cet après-midi, m'aurait-il averti de cette enquête ecclésiastique? Pas sûr. Maintenant, ça ne fait plus aucun doute, je gêne. Même ceux qui savent distinguer le bien véritable du mal. La plupart des portes vont se fermer devant moi. Le cardinal Delavigne fait partie de l'Église d'après-guerre, gaulliste, résistante et réformiste. Et personne ne peut l'arrêter : il préside le Conseil des évêques.

Le commissaire n'admettrait pas de retard. Il laissa son repas en plan, remonta en voiture et prit l'avenue Delambre. Il se gara après le 129. Il faisait nuit. Il attendit que sa montre marque 21 heures, 21 heures précises, puis il sortit, verrouilla sa voiture et emprunta la petite allée qui menait jusqu'à la porte d'entrée. Un chien se mit à aboyer. Il avait peur des chiens. Il regarda autour de lui, espérant que l'animal était enfermé.

Lorsqu'il sonna, quelqu'un cria pour faire taire le chien. Les aboiements cessèrent aussitôt. Mme Vionnet ouvrit la porte. Elle ne le reconnaissait pas. Mais lui non plus n'aurait pas reconnu en cette vieille femme aux cheveux blancs, en baskets et survêtement violet, la jeune secrétaire du commissaire qui, autrefois, s'asseyait en enroulant ses longues jambes pour découvrir le haut de ses bas et souriait comme une catin.

— J'ai rendez-vous. Monsieur Pierre.

Il n'y avait aucune trace du chien. Il devait se trouver à l'arrière de la maison. Dans le couloir, une vingtaine de cartons de bouteilles de vin, empilés presque jusqu'au plafond, l'obligèrent à se coller au mur pour passer. Il lut l'appellation au passage : Caves des Saussaies, Côtes du Ventoux. Que pouvait faire un flic parisien à la retraite ? Le commissaire avait fait l'acquisition d'un petit vignoble près de Vaison-la-Romaine. C'était rue des Saussaies qu'ils l'avaient tabassé à mort.

La femme aux cheveux blancs le fit entrer dans une petite pièce à l'avant de la maison, également encombrée de cartons de bouteilles de vin. Le chien aboya de nouveau et il entendit la voix du commissaire : « Balzar ! » Le chien se tut. Le commissaire entra, un cure-dents à la bouche. Il avait pris un coup de vieux en sept ans. Avec son gilet vert et son pantalon en velours bleu, sa peau rouge brique, tannée et brûlée par le soleil et ses ongles noirs de paysan, il aurait très bien pu être l'humble vigneron des Saussaies pour lequel il se faisait passer à présent. Encore une mystification. Seuls ses yeux n'avaient pas changé. Ils ne cillaient jamais.

— Vous venez de Salon ? Vous avez bien reçu votre enveloppe ?

— Oui, merci.

— Un problème, alors ?

Le ton du commissaire lui faisait clairement sentir qu'il n'était pas le bienvenu.

— Oui.

Il avait répété son histoire dans la voiture, et il la lui délivra en quelques mots. Lorsqu'il eut terminé, il sortit le passeport et la feuille de papier. Le commissaire, qui jusque-là était resté debout, lui fit signe de s'asseoir avant de l'imiter, allumant une lampe de bureau pour examiner le passeport.

— Il semble authentique, dit-il. Mais je vais le garder et prendre le temps de vérifier. Vous avez eu de la chance. C'est vous qui pourriez être au fond du ravin, ce soir.

— Pas de la chance, monsieur. Je l'avais repéré hier après-midi, en sortant d'une pâtisserie.

Le commissaire glissa le passeport dans la poche de son pantalon.

— Alors, qu'en pensez-vous, monsieur Pierre ?

Il savait que le commissaire n'essayait pas d'être poli lorsqu'il lui donnait du « monsieur ». Ce titre était un nom de code. Le ton du commissaire était méprisant.

— Je suis inquiet. Qui que soient ces gens, ils savaient que je serais à Salon. Ils savaient que je serais au Montana. Ils savaient peut-être même que j'attendais un courrier. Et vous, qu'en pensez-vous ?

— Je ne connais pas ce groupe, répondit le commissaire. Il ne fait pas partie de ceux qui font parler d'eux habituellement. Des étudiants juifs, peut-être, ou des parents de ceux de Dombey. Je vais faire des recherches.

— Mais comment ont-ils su pour l'enveloppe ? Personne n'est au courant, pas même mes amis du clergé.

Le commissaire posa délicatement son cure-dents dans un cendrier.

— Au fait, vous séjourniez à Saint-Cros, n'est-ce pas ?

— Oui.

— Quand vous leur avez annoncé votre départ, vous leur avez raconté ce qui s'est passé ?

— Non.

— Tant mieux. C'est quelque chose qui ne doit pas sortir de cette pièce.

— Bien, monsieur.

— Alors, quels sont vos plans maintenant ? Où comptez-vous aller ?

— À Aix, je pense.

— Vous pensez ?

— Excusez-moi, c'était une façon de parler. Je vais passer une quinzaine de jours au prieuré Saint-Christophe, à côté d'Aix.

— On vous y attend ?

— Non, mais j'y suis toujours le bienvenu. Le prieur est un ami des Chevaliers.

— Laissez-moi l'adresse et le numéro de téléphone.

Le commissaire sortit un cahier d'écolier du tiroir d'une petite table.

— Les Chevaliers, très bien, reprit-il. À partir de maintenant, il vous faudra être deux fois plus prudent. Vos amis vont se faire rares.

— Je le sais.

— Et après Aix ?

— J'irai à Villefranche-sur-Mer, monsieur. Puis à Nice. Là, je ne doute pas d'être le bienvenu.

— Des amis de l'ancien évêque de Dakar ?

— Oui, monsieur.

À cet instant, Mme Vionnet passa la tête par la porte.

— J'apporte le café, Henri ?

— Dans une minute. Mon invité est sur le départ.

Le commissaire se leva. Brossard en fit autant et suivit son hôte dans le couloir encombré.

— Les vendanges ont été bonnes ? demanda-t-il en désignant les cartons de bouteilles.

— Oui. Les cartons prennent de la place, mais je les expédie demain.

— Les Caves des Saussaies, dit Brossard avec un sourire. Je m'en souviens.

Le commissaire ouvrit la porte d'entrée et tourna ses yeux imperturbables vers son visiteur :

— Je n'en doute pas. Vous avez été très bavard là-bas.

Le vieil homme ne répondit pas.

— Bonsoir, dit le commissaire.

— Bonsoir, monsieur.

Renvoyé à l'obscurité, il se retourna et vit Mme Vionnet à la fenêtre du petit salon, en train de baisser les stores. Il lui fit un signe. Elle agita poliment la main en retour. Elle s'appelle Rosa. Est-ce qu'elle se souvient de moi ? C'est peut-être pour ça qu'elle a proposé du café.

Il l'avait embrassée une fois. Rue des Saussaies, justement. C'était le jour où elle lui avait dit qu'il pouvait partir, que personne ne l'arrêterait. Le commissaire et ses deux adjoints étaient sortis déjeuner. Un planton était venu le chercher dans sa cellule pour un interrogatoire. À son étonnement, on l'avait laissé seul en compagnie de la charmante secrétaire du commissaire, la future Mme Vionnet. Elle avait retranscrit certains des interrogatoires précédents. Il avait entendu les flics l'appeler Rosa. C'était elle qui lui avait dit que le commissaire était sorti déjeuner. Puis elle s'était assise à son bureau avec un sourire, croisant les jambes d'un air aguicheur, tandis qu'elle arrangeait un petit vase de fleurs posé devant elle. Il s'était fait arrêter six semaines plus tôt. Denis avait été pris quelques jours avant lui et l'avait donné à la police. Ils l'avaient trouvé dans une chambre de bonne, rue Monge, pliant et dépliant de faux billets pour leur donner un aspect usé.

— Condamné à mort par contumace, ancien chef du deuxième service de Marseille... Vous savez ce qui va se passer ? lui avait dit le commissaire Vionnet. On va vous transférer à Marseille et, dans trois mois, on vous fera sortir et on vous exécutera. Qu'est-ce que vous croyez ? Ça se passe comme ça aujourd'hui.

Quel autre choix avait-il ? D'abord on l'avait cogné. Puis on lui avait parlé de Marseille. Avant de lui poser la question.

— Alors, que savez-vous des activités politiques du clergé ?

Il avait bien fallu qu'il dise quelque chose, qu'il soit cohérent. Alors il avait donné des noms, certains de ceux qui l'avaient caché. Mais cela n'avait pas suffi au commissaire Vionnet.

— L'abbé Feren, vous le connaissez ?

— Bien sûr, c'était l'aumônier de la Milice.

— Mais après la Libération, lorsqu'il a dû se cacher, vous l'avez revu, non ? Il vous a aidé ?

Il avait bien été obligé de répondre par l'affirmative. Il croyait qu'ils avaient arrêté l'abbé. Il était recherché depuis sa condamnation par contumace.

Le commissaire avait été direct :

— Si vous nous dites où nous pouvons le trouver, vous n'aurez pas à le regretter.

Bien sûr, c'était un péché de parler, un péché qu'il ne se pardonnerait jamais. De toute façon, il n'était pas sûr de l'endroit où se dissimulait l'abbé, mais il pouvait essayer de deviner. Le commissaire avait été satisfait. On avait arrêté l'abbé une semaine plus tard, à Sanary, et il avait été condamné à sept ans de prison. Aujourd'hui, l'abbé vivait en Italie.

Oui, cela ne faisait aucun doute, la police l'avait trouvé coopératif. Le commissaire Vionnet avait posé d'autres questions. Discrètement. Et uniquement lorsqu'ils étaient seuls tous les deux. Notamment au sujet d'ordres de déportation, signés par un personnage haut placé à la préfecture. Des ordres qu'il avait aidé à exécuter. Il avait dit ce qu'il savait. Qu'avait-il à perdre ?

Le commissaire n'avait pas fait de commentaire. Il ne lui avait laissé entrevoir aucun espoir. Puis ses manières s'étaient modifiées. Deux jours avant la date prévue de son transfert à Marseille, on l'avait fait sortir de sa cellule et on l'avait conduit au bureau du commissaire, à une heure où tout le monde était sorti déjeuner. Seul avec la secrétaire, qui l'avait traité de « beau mec » et croisait les jambes avec un sourire aguicheur, lui dévoilant ses cuisses nues. Elle lui avait fait un clin d'œil, puis avait ouvert un tiroir dont elle avait sorti une ceinture et une paire de lacets – les accessoires que l'on vous prend quand on vous arrête.

— Arrangez-vous de façon à ne pas ressembler à un prisonnier.

Il avait compris. Une fois ses lacets noués, elle lui avait dit :

— Vous n'aurez qu'à faire un signe aux policiers de garde. Vous allez déjeuner. Maintenant, un baiser d'adieu.

Elle avait voulu qu'il l'embrasse, alors il l'avait embrassée. Il était sorti du bureau, avait emprunté le couloir, descendu l'escalier et traversé la cour. Puis il avait adressé un signe aux gardiens, comme elle le lui avait recommandé. Il portait une chemise propre, une ceinture à son pantalon et des lacets à ses chaussures. Il ressemblait à un employé. Quelques instants plus tard, il marchait le long de l'avenue Marigny, libre. Et alors, qu'avait-il fait ? Il était allé directement à l'église la plus proche pour remercier Dieu, à genoux, de l'avoir délivré. Une fois de plus, Il était venu à son secours. Dieu qui l'aimait et le comprenait, Dieu qui le protégeait de ses ennemis.

Il faisait sombre dehors. Les réverbères éclairaient mal. De toute manière, plus rien ne fonctionne. Mais comment s'en étonner, dans un pays plein d'étrangers, de Beurs ignorants entassés dans des bidonvilles à la périphérie des villes, de Noirs crasseux entretenus par le gouvernement, alors que d'honnêtes Français ne trouvent pas de travail.

Il retourna à l'hôtel. Ce n'est qu'après s'être déshabillé et agenouillé pour faire ses prières qu'il se souvint. À présent que ses ennemis connaissaient le Montana, il ne pourrait pas récupérer son enveloppe quand arriverait l'échéance de son prochain paiement. Il aurait dû le signaler au commissaire. Il avait quand même deux mois devant lui. Cela lui laissait le temps de trouver une solution. Il fit le signe de croix, ferma les

yeux et, encore une fois, remercia Dieu de l'avoir protégé. Dieu n'avait pas voulu qu'il meure aujourd'hui.
Dieu l'avait averti, Il avait placé le pistolet dans sa main.
C'était de la légitime défense, mais quand même, il avait
tué une fois de plus. Un juif ne pouvait pas aller au
paradis. Il se souvint d'une conversation avec Mgr Le
Moyne, son confesseur. Celui-ci lui avait dit que ce
serait un geste chrétien de donner de l'argent pour faire
dire une messe en mémoire des juifs de Dombey. Il
n'avait pas compris pourquoi. Mais… la messe avait été
dite. Mgr Le Moyne était un saint, bien sûr. Un saint
doté de bon sens. C'était lui qui avait décrété :

« Votre cas est particulier. L'État vous a privé de la vie
normale à laquelle vous aviez droit. Il vous a obligé à
devenir un fugitif. Il vous a jugé sans entendre un seul
mot de votre défense. En ce qui me concerne, je pense
que vous avez été contraint d'exécuter certains des
actes que vous avez commis. »

Cela avait eu lieu après sa confession, au cours de
laquelle il avait parlé au religieux des années parisiennes,
des hold-up avec Jacquot : un fiasco, une réussite. Et aussi
des faux billets, du trafic de café au marché noir. Quoi
d'autre encore ? Il avait fallu faire tant de choses pour sur-
vivre à l'époque, nous étions si nombreux à nous cacher
pendant les années suivant leur prétendue Libération. La
trahison, oui, comme on disait entre nous. Le vieux Maréchal, exilé en Allemagne, qui campait au château de
Sigmaringen, tandis que de Gaulle défilait sur les Champs-
Élysées, prétendant que c'était lui, et non les Américains,
qui avait libéré la France. Mais de quelle liberté parlait-
on ? C'était la grande époque des communistes et de la
vengeance. L'épuration, comme ils disaient. Les communistes voulaient du sang : procès, accusations, emprison-
nements, femmes tondues, pelotons d'exécution. Darnand,
notre chef, Dieu ait son âme, n'avait pas fui en Allemagne,
lui, il n'avait pas fait semblant. Il s'est dressé devant les
juges en robe rouge du Palais de justice : « Monsieur
le président, je n'ai pas joué le double jeu. J'ai marché,

simplement. Je suis fier de ce que j'ai porté. Je me suis trompé, mais j'ai agi de bonne foi. Je crois avoir servi. » Oui, Joseph Darnand a été le seul à revendiquer ce pour quoi nous nous étions battus. Un héros, un homme de courage. Dans sa cellule, à Châtillon, la nuit précédant sa mort, il a écrit une lettre à de Gaulle, implorant sa clémence pour ces « nombreux officiers d'active, de réserve, ces anciens soldats de 14-18, ces nombreux jeunes, ouvriers, paysans, garçons des professions libérales, qui n'ont pas hésité à tout abandonner pour servir ce qu'ils considéraient du fond de leur cœur être l'intérêt supérieur de la patrie. Ils n'ont commis que l'erreur d'être fidèles à un grand soldat. Ils ont été à peu près les seuls à ne pas vouloir trahir leur serment, à ne pas abandonner une cause perdue. » Le lendemain, Darnand était exécuté. Je suis vieux à présent, je perds la mémoire, je dois faire des listes ; je note le nom des gens que je rencontre, et j'oublie celui de mes vieux amis. Pourtant, ces mots resteront à jamais gravés dans ma mémoire. La cause était perdue, plus encore : la guerre était perdue. Était-ce réellement pis de vivre sous le « nouvel ordre » du Maréchal que de voir les Anglo-Saxons, ces idiots d'Amerloques et ces Anglais hypocrites qui avaient fui en 1940, aider les troupes communistes russes à envahir l'Europe, violant, pillant et tuant sur leur passage ? Combien étions-nous en France à savoir que nous n'avions pas gagné, mais perdu la bataille ? Combien le soupçonnaient sans oser le dire ? Le clergé s'en était rendu compte : à Rome, Pie XII avait demandé l'amnistie pour tous ceux qui étaient restés fidèles au Maréchal. Le pape connaissait le véritable ennemi. Il savait que le Maréchal serait toujours et avant tout un vrai fils de l'Église. Même ces idiots d'Américains ont fini par comprendre et ils ont fait appel aux cerveaux nazis pour lutter contre Staline. Enfin, on a pu parler avec sincérité. L'ennemi était la Russie. C'était elle la véritable patrie des fossoyeurs de la France.

Je suis à genoux et, humblement, je vous remercie, mon Dieu, pour votre miséricorde. Je ne dois plus laisser la colère envahir mon esprit. J'ai péché, mais, maintenant, je suis béni par le pardon et l'amour divins. Il ne veut pas que je meure. Il me protégera de mes ennemis. Ses ennemis.

Il se signa et se leva. Il ouvrit la valise où se trouvaient ses souvenirs et sortit son Walther qui était rangé dans un étui en cuir. La personne qui a envoyé ce juif pour me tuer aujourd'hui savait que je me trouverais dans ce bar de Salon. Et pourquoi étais-je là-bas ? Pour récupérer mon enveloppe. Mais qui peut être au courant pour l'enveloppe, mon plus grand secret, un secret que je n'ai confié à personne, pas même à Mgr Le Moyne ? Que savent-ils d'autre ? Qui le leur a dit ?

Cela faisait longtemps qu'il n'avait pas dormi avec une arme sous son oreiller. Il avait vécu dans la clandestinité pendant quarante-quatre ans, se débrouillant pour rester en France quand d'autres fuyaient vers l'Argentine ou le Pérou. C'était son triomphe personnel. Il ne s'était pas laissé chasser de son pays. Il avait vécu ici, sous leur nez. Mais, à présent, ils étaient sur sa piste. Quelqu'un savait. La peur le saisit d'un coup, comme une fièvre. Si je meurs ce soir, serai-je pardonné ? Dieu mettra-t-Il ce que j'ai fait pour la France dans la balance pour racheter mes péchés : les femmes, les amis trahis, les hold-up, les escroqueries ? Mgr Le Moyne dit que la miséricorde divine est infinie. Toutes ces années, j'ai vécu en chrétien fervent : j'ai été à la messe, j'ai fait mes prières et mes dévotions. Oui, aujourd'hui j'ai tué, mais par légitime défense.

Pourtant la peur était toujours là. Et si le religieux se trompait ? Si une fois tout pesé, Dieu me rejetait ? Je dois me confesser. Mgr Le Moyne m'absoudra. Je dois modifier mes plans. Demain, j'irai à Caunes.

2

La sécurité, disaient-ils. Tu parles d'une blague, pensa T. Il regarda la tour Eiffel drapée de brouillard à l'autre bout de la place de l'Alma, et les gens qui attendaient le 63, de l'autre côté de la rue. Pourquoi ici ? Pourquoi dans ce café en particulier, un lieu touristique plein d'étrangers qui mangeaient des salades et buvaient de la bière. C'était peut-être justement pour cette raison. Il n'y avait aucun habitué dans un tel endroit. C'était sa deuxième visite. La veille, lors du premier rendez-vous, on lui avait précisé que son contact aurait un journal anglais : le *Times*.

Un bus arrivait dans l'avenue du Président-Wilson. Il s'arrêta juste en face. Soudain, T. se dressa sur sa chaise, car le contact venait de descendre du bus, le journal à la main. La sécurité, disaient-ils. Ils devaient lire trop de romans policiers. Pourquoi est-ce que je ne pourrais pas savoir le nom de cet homme, pourquoi est-ce que je ne pourrais pas le rencontrer sans tout ce cirque ? On est du même bord, oui ou merde ?

Le contact entra dans le café avec son journal, il slaloma entre les box et les tables avant de s'arrêter devant lui.

— Je peux ?

T. hocha la tête.

— Je vous en prie.

31

Le contact avait la cinquantaine ; il aurait pu être médecin ou avocat. Un homme respectable en tout cas, un bourgeois avec un accent snob qui irritait T.

— Vous les avez ?

T. sortit une pochette en plastique de son blouson. Le contact retira les trois photographies qui se trouvaient à l'intérieur pour les étudier.

— Ce sont les bonnes dimensions ?

— Bien sûr, répondit T.

— Quel âge avez-vous ?

— Quel est le rapport ?

T. détestait les questions relatives à son âge. D'accord, il avait l'air d'un gamin. Mais il n'en était pas un.

Le contact soupira.

— Pour le passeport.

— Pardon. Vingt-cinq ans.

— Bien.

Le contact rangea les photographies dans sa poche. Un serveur arriva et il commanda un express.

— Et pour monsieur ?

— La même chose.

Tandis que le serveur s'éloignait, le contact regarda autour de lui. T. se rendit compte que l'autre n'était pas dans son élément. Il était sans doute vraiment médecin ou avocat.

— Je suis chargé de vous donner une adresse. Mémorisez-la et oubliez-la après ce soir. Nous prenons un risque, un gros risque, en vous mettant en relation avec lui. Mais il tient à vous rencontrer. Ce qu'il vous dira pourra peut-être vous aider. C'est au 6, rue Saint-Thomas-d'Aquin, dans le VIIe arrondissement. C'est derrière une église. Métro Rue du Bac...

— Je trouverai ! coupa T.

— Appartement 5, quatrième étage. Si vous arrivez à 19 heures précises, vous n'aurez qu'à sonner et à monter directement. Au fait, vous devrez partir rapidement. Dès ce soir, peut-être.

— Juste une chose, dit T. Je ne dois pas poser de questions, c'est entendu. Mais ces photos, est-ce que je dois en déduire que je vais quitter la France ?

— Vous recevrez vos instructions ce soir. Le passeport sera prêt. On s'en occupera cet après-midi. Vous avez retenu l'adresse ?

— Bien sûr.

— Parfait. Je dois y aller maintenant. Réglez mon café, vous voulez bien ? Bonne chance.

Que venait faire la chance là-dedans ? Il fallait savoir où l'on mettait les pieds, un point c'est tout. Comme disait Pochon, mieux valait avoir des yeux dans le dos. Pochon ne parlait pas comme ce charlot. Jamais il ne lui aurait dit : « Bonne chance. » Pochon disait : « Écoute. C'est moi qui travaille avec cette organisation, pas toi. Moins tu en sauras sur eux, mieux ce sera. Ils ne font pas partie du milieu. Ce sont des politiques. Je leur ai dit que tu étais capable d'exécuter cette mission, c'est tout ce qu'ils ont besoin de savoir. Si tu te fais arrêter, je suis le seul susceptible d'avoir des problèmes. »

Pochon avait la soixantaine. Un flic à la retraite, un inspecteur. Il pouvait devenir mauvais si on l'embrouillait. « Je te soutiens, disait-il. Tu peux compter sur moi. Mais souviens-toi : fais ce que je dis. Il en va de ta vie. »

Après la place de l'Alma, T. se rendit chez Janine, rue Saint-Joseph. Janine travaillait au rayon gants du Printemps. Il trouvait ça ridicule. Elle n'avait pas besoin de ce boulot stupide. Ses parents étaient dans la haute couture. Ils possédaient une société qui fabriquait des boutons fantaisie pour des grandes marques, comme Lacroix et Saint Laurent. Ils pouvaient très bien l'aider. Mais elle ne s'entendait pas avec sa mère. À ce qu'elle disait. T. ne tenait pas à connaître les détails. C'était leurs affaires. En pénétrant dans l'appartement, il songea que ce serait pratique si l'on pouvait traiter les filles comme Pochon le traitait lui. Ni confidences, ni histoires de famille, ni questions. On ne pouvait pas dire qu'il se livrait beaucoup à Janine. Il lui avait juste fait croire qu'il avait laissé tomber la fac de médecine et que ses parents l'entretenaient. Il recevait une rente mensuelle et la dépensait. « Eh bien, ils doivent avoir du fric ! » avait répondu Janine.

Il avait passé ces dernières semaines chez elle. Il lui écrivit un mot pour lui dire qu'il l'appellerait après 21 heures. Puis il se rendit à la petite chambre qu'il louait à l'hôtel Terminus. Là, il mit les quelques affaires dont il aurait besoin dans un sac. Pour tuer le temps, en attendant le rendez-vous, il alla voir un film qui passait sur les Champs-Élysées. C'était un film policier américain. Rien à voir avec la vraie vie.

La nuit tombait lorsqu'il arriva au 6 de la rue Saint-Thomas-d'Aquin. C'était un vieil immeuble cossu avec une grande cour sombre. Il la traversa et leva les yeux. Très peu d'appartements étaient éclairés. Aucun nom ne figurait à côté de l'interphone de l'appartement 5. Il appuya sur le bouton. Aussitôt un bourdonnement retentit et la porte s'ouvrit. Il n'y avait pas d'ascenseur, mais un tapis épais courait sur les larges marches. Les noms sur les portes aux deuxième et troisième étages étaient français. Pas d'étrangers. Pas de bureaux. Au quatrième, il se trouva face à deux appartements dotés chacun d'une belle porte en acajou. L'une d'elles était ouverte et un vieil homme attendait sur le seuil. Il portait un gilet marron sur une chemise blanche, un pantalon de soirée sombre, une cravate noire. Ses cheveux étaient gris et sa moustache aussi. Il ne ressemblait pas à un juif, mais T. songea que c'était fréquent, surtout quand ils étaient riches.

Le vieil homme ne se présenta pas.

— Entrez, dit-il simplement.

L'appartement était grand. Devant lui, T. vit un petit salon avec deux niches qui abritaient des bustes romains, des épées croisées sur un mur, des lampes anciennes, de vieux meubles de valeur, des tapis turcs, des tableaux représentant des scènes classiques et, sur une table dans l'entrée, une multitude de photographies dans des cadres en argent. La plus grande était une photo de mariage. La mariée et ses demoiselles d'honneur portaient des robes courtes, de style années 30. À côté trônait le portrait d'un officier en uniforme. C'était son hôte.

— Par ici, dit le vieil homme.

Ils traversèrent le petit salon, puis laissèrent sur le côté une salle à manger, où T. aperçut une grande table d'acajou dressée pour six personnes, avec une composition florale élaborée au centre et une série de verres en cristal alignés devant de lourdes assiettes en argent. Pour servir une table pareille, des domestiques s'imposaient, mais il n'en voyait nulle part.

— Entrez.

Le vieil homme ouvrit la porte sur une pièce tapissée de livres. Il y avait une échelle de bibliothèque qui montait jusqu'au plafond, des fauteuils, un canapé en cuir et un grand bureau en teck jonché de papiers. Une vieille fortune, décida T.

— Asseyez-vous, je vous prie.

L'homme s'approcha du bureau dont il sortit une grande enveloppe en papier kraft. Il fit glisser un passeport, des billets d'avion et un permis de conduire français qu'il tendit à T. Le passeport était bleu foncé, avec « CANADA » en lettres dorées sur la couverture. Il l'ouvrit à une page où figuraient la photographie de T. et un nom : Michael Levy.

— Signez sur la page opposée, sous « Signature du titulaire ». Michael Levy. Le permis de conduire et votre billet d'avion sont également à ce nom. Vous êtes au courant, bien entendu ?

— Oui.

Le vieil homme s'assit dans un fauteuil. Les pans de son gilet s'écartèrent, révélant une large ceinture noire qui masquait le haut de son pantalon.

— Vous êtes très jeune. Je m'attendais à quelqu'un de plus âgé.

— J'ai vingt-cinq ans.

Le vieil homme parlait d'une voix douce et affable. Il souriait chaque fois qu'il ouvrait la bouche.

— Nous vous envoyons à Aix. Votre avion décolle ce soir à 21 heures. À votre arrivée, rendez-vous au guichet d'Eurocar. Une voiture vous y attendra, au nom de Michael Levy. Voici l'adresse où vous trouverez Brossard.

Il tendit à T. une feuille de papier quadrillée avec une adresse écrite à la main.

— Il devrait arriver demain. Il conduit une Peugeot.

— Oui, je sais. De 1977. Blanche.

— Il séjournera dans le monastère attenant à l'école, à l'adresse que je viens de vous donner. Dans une semaine ou deux, il se rendra peut-être à Villefranche-sur-Mer ou à Nice. Je ne sais pas ce que l'on vous a dit. Ou du moins, je ne sais pas comment vous êtes censé procéder.

— J'ai été briefé. Mais c'est à moi de décider où et quand.

— Je vois. Cependant, permettez-moi de vous dire une chose : il est âgé, mais c'est un renard. Il sait parfaitement se terrer quand il le faut. S'il sent votre présence, il disparaîtra et vous ne retrouverez plus sa trace.

— Je comprends.

Pourquoi m'a-t-on fait venir ici ? Pourquoi voulait-il me voir ? C'est tout ?

Comme s'il avait parlé tout haut, le vieil homme ajouta :

— Je suppose que vous vous demandez pourquoi je tenais à vous rencontrer. C'est contre nos règles. Mais je pense que je dois être honnête avec vous. Je ne crois pas que nos amis vous aient averti que vous étiez le deuxième homme chargé d'exécuter Brossard. Je me trompe ?

36

— Comment ça ?

— Nous avons envoyé quelqu'un sur la même mission il y a une semaine. On nous avait dit qu'à une certaine date Brossard se trouverait à un certain endroit. L'information était juste. Il était là. À Salon-de-Provence, pour être plus précis. Votre prédécesseur était comme vous : jeune, entraîné, quelqu'un qui connaissait son travail. Nous ignorons ce qui s'est passé. Mais nous savons qu'il est mort. Il a été tué et sa voiture poussée dans un ravin. Nous lui avions fourni un faux passeport, comme à vous. Il ne l'avait plus sur lui. La déclaration... vous êtes au courant pour la déclaration ?

Il prit une grande feuille dactylographiée dans l'enveloppe en papier kraft et la lui montra.

— Elle avait disparu, elle aussi. On ne l'a pas retrouvée avec le corps. Nous avons discuté de la conduite à tenir. Votre ami, l'inspecteur, ne jugeait pas utile de vous avertir. C'est pour cette raison que vous êtes ici ce soir. Je sais que c'est à vous de décider où et comment. Mais il me semblait que vous aviez le droit de savoir la vérité. Tuez-le du premier coup, ou vous n'aurez peut-être pas de seconde chance.

Il se leva.

— Merci de votre visite. Et n'oubliez pas, ajouta-t-il en agitant la feuille dactylographiée. Il faut impérativement qu'on retrouve ce papier sur le cadavre. Nous voulons que les gens sachent pourquoi nous faisons cela.

Il s'interrompit. T. entendit des voix dans le couloir de l'immeuble.

— Voilà mes invités.

Le vieil homme remplaça son gilet par une veste de soirée, étalée sur le canapé en cuir.

— Par ici, s'il vous plaît. Vous allez devoir sortir par la porte de derrière. C'est un escalier de service. Je suis désolé. Les gens arrivent plus tard d'habitude.

L'escalier était sombre et exigu. Son avion décollait à 21 heures. Il n'avait qu'à prendre un taxi jusqu'à l'hôtel

Terminus pour récupérer ses affaires, puis il filerait directement à Orly.

Il pleuvait sur le boulevard Saint-Germain. Il se mit à courir, à la recherche de la station la plus proche. Il avait de la chance. Deux taxis attendaient. Ce n'est qu'une fois assis à l'arrière, tandis que la voiture traversait la Seine pour rejoindre la rive droite, qu'il prit le temps de réfléchir à ce qu'il venait d'apprendre. Et à l'inspecteur. Pourquoi celui-ci ne voulait-il pas qu'on le prévienne ? Pochon lui avait dit : « Cet homme a soixante-dix ans, ça fait plus de quarante ans qu'il se cache. Il ne sera pas sur ses gardes. Il n'a jamais fait partie des durs dans la Milice. C'était un gratte-papier, le chef du deuxième service. Il dressait la liste des gens à arrêter et à éliminer, mais c'étaient les autres qui faisaient le boulot. »

Aucune mise en garde, aucune allusion au fait qu'il avait déjà envoyé un homme en mission. Un homme était allé à Salon et s'était fait descendre par ce vieux gratte-papier. Combien ces juifs paient-ils l'inspecteur ? Combien leur prend-il pour moi ?

Il était 20 h 30 à son arrivée à Orly. Il se dirigea vers une cabine téléphonique. Janine décrocha.

— Où es-tu ? Je croyais qu'on devait se retrouver à la Pergola.

— Je suis à la gare Saint-Lazare.

Il n'avait même pas réfléchi à ce qu'il allait lui dire : le mensonge lui était venu aux lèvres tout naturellement. Normal : tout le monde mentait dans le milieu.

— C'est mon père. Il a eu une crise cardiaque. Il est à l'hôpital de Bayeux. Maman m'a appelé cet après-midi.

— J'en étais sûre ! J'ai eu un drôle de pressentiment tout l'après-midi. J'ai lu ton horoscope. Je suis désolée pour ton père. Quand reviens-tu ?

— Je n'en sais rien.

— C'était censé être une surprise, mais, mardi prochain, on voulait organiser une petite soirée pour ta fête. Qu'en penses-tu ? Est-ce que j'annule ?

— C'était quoi cette histoire d'horoscope?

— C'est juste l'horoscope de *Elle*. C'est stupide. Je n'aurais pas dû t'en parler.

— Il disait quoi?

— Je ne sais même plus.

— Réponds-moi! Qu'est-ce qu'il disait?

— Oh! Quelque chose du genre : « Vous devrez faire un voyage impromptu et renoncer à des moments agréables. » Je suppose qu'il s'agit de la fête. C'est sûrement ça, non?

— Attends un peu. Va le chercher et lis-le-moi. Grouille-toi, j'ai un train à prendre.

Il attendit. Cet horoscope ne présageait rien de bon.

— Voyons voir, dit enfin Janine. Vierge : « Avec Saturne en septième maison dans votre révolution solaire, renforcé par la pleine lune en Poisson, c'est une période dangereuse pour vous. Vous devrez faire un voyage impromptu et renoncer à des moments agréables. Attention aux présences étrangères pendant ce voyage. Le 9, Mars entre en Lion, et vous serez obligé de faire quelque chose qui pourrait vous causer un grand tort. Si c'est possible, refusez l'offre que l'on vous a faite. Ce n'est pas le moment de jouer au héros. »

— C'est tout?

— Oui. C'est drôle cette histoire de voyage impromptu. J'espère que tout ira bien pour ton père. Écoute, tu n'as qu'à m'appeler dimanche. Je n'annulerai pas la fête avant d'avoir de tes nouvelles. Et fais attention à toi.

— Compte sur moi.

Dans l'avion, il prit la feuille quadrillée et lut l'adresse. « Prieuré Saint-Christophe, 6, avenue Henri-Martin, Aix-en-Provence. Téléphone : 04 42 96 17 36. »

Sous cette adresse, quelqu'un avait ajouté en tout petit :

Résidence cistercienne, voisine du collège de garçons. Prieur : Dom André Vergnes.

Soixante-dix-neuf ans. (Lié aux Chevaliers.)
Arrivée de B prévue le 5 mai. Il devrait y
séjourner une quinzaine de jours, avant de se
rendre à Villefranche-sur-Mer, puis à Nice.
Conduit une Peugeot blanche de 1977. À Aix,
il passe la plupart de ses après-midi au café La
Mascotte, place des Tanneurs. Le café lui sert
de poste restante.

Il tira son sac de sous le fauteuil et en sortit l'enveloppe. Elle contenait deux photographies. Sur la première, un portrait en noir et blanc. On y voyait un jeune homme en costume sombre, avec une chemise blanche et une cravate noire. Il ressemblait à un chien en colère, avec ses oreilles pointues plaquées contre son crâne. Ses cheveux étaient blonds et bouclés, ses yeux clairs. En dessous, sur la bordure, on avait écrit à la main : « BROSSARD – 1946 ». Il examina le visage de plus près. Un bon petit Français. Pas comme moi. Il passa à la seconde photographie. On y distinguait deux hommes, un prêtre âgé et un vieil homme aux cheveux blancs, vêtu d'un gilet. Il étudia le second visage. Mêmes oreilles collées, même regard absent. Ce type a dans les soixante-dix balais maintenant, il devrait être mort, il appartient à l'histoire. La Milice. C'est bon pour les vieux films. Les uniformes nazis, les bombardiers, Ingrid Bergman à Casablanca et, chez nous, Rommel dans le désert avec ses chars et les Américains qui atterrissent à Alger. Papa était tout gosse à l'époque. Il vivait dans le quartier arabe d'Oran. Il a vu les chars de Rommel s'enfuir, puis les vainqueurs, les Américains, les Français, les Anglais, qui paradaient dans les rues. Il adorait ça, il adorait les uniformes. Il voulait être soldat, un soldat français. Pas pour Vichy, pas pour les copains du vieux schnock, mais pour de Gaulle. De toute manière, ça n'aurait pas fait une grande différence. Qu'on se batte d'un côté ou de l'autre, les Français se débrouillent toujours pour vous entuber, comme ils ont entubé papa qui n'attendait qu'une chose : avoir l'âge de rejoindre l'armée française. Oui et en 1955, il s'est engagé. Il avait vingt ans et ils lui ont farci la tête de bobards. Il allait être un harki, faire partie d'un commando d'élite, des troupes auxiliaires, monter un chameau, camper aux côtés des Français. Papa était avec les meilleurs, le commando Georges, des musulmans sous les ordres d'officiers français qui se sont battus pour le général Salan et la junte contre le FLN, contre nos frères. Je me demande si le juif de tout à l'heure s'est rendu compte que j'étais fils de harki. Non, sûrement pas. J'ai le teint clair, comme papa. On me prend toujours pour un Français.

Il regarda encore les photographies posées sur ses genoux. Le vieux a pu changer un peu en sept ans. Mais pas ses oreilles. Lorsque je le verrai, je n'aurai peut-être qu'une minute pour me décider. Je n'ai pas le droit à l'erreur.

Il reprit le portrait du jeune homme, du milicien. Regarde les oreilles, le nez, la bouche. Mémorise-les. Mémorise-les.

Mais l'autre le regardait fixement, semblait mettre sa mémoire au défi. Ses yeux étaient calculateurs et méfiants, comme s'il se trouvait dans un poste de police. Il était incapable de détacher ses yeux de ce visage. Quand on y pense, ce mec est comme papa. Ils ont tous les deux choisi le mauvais camp et on le leur a fait payer. Papa, qui s'est battu avec ses tripes pour la France, a dû quitter son propre pays parce qu'il était un traître. S'il était resté, le FLN lui aurait fait subir le traitement qu'on réservait aux gens de son espèce : on les enterrait dans le sable et on leur mettait du miel sur le visage pour que les fourmis les mangent. Ou on leur coupait les oreilles, les lèvres et les couilles, on les habillait en femme et on leur mettait le feu avec de l'essence. Les Français n'ont pas levé le petit doigt pour eux. Ils sont rentrés chez eux. Comme les nazis. Les nazis ont abandonné cet homme qui s'était battu pour eux, contre son propre peuple. Papa a eu de la chance. Il n'est pas resté là-bas, parce qu'il se croyait français, il croyait qu'il pourrait vivre ici, alors il a accepté leur offre minable, il a accepté de partir avec l'armée pour aller dans un pays qu'il ne connaissait pas. À l'école, on lui avait appris que l'Algérie faisait partie de la France. Pauvre naïf. Il n'était pas français, il était un harki, un soldat indigène, un boulet à leur pied. Le gouvernement français les a entassés dans des camps et leur donnait du travail occasionnel en leur promettant un vrai emploi, un vrai logement, ce genre de balivernes. Et rien n'a été fait, bien sûr.

Et moi, je me retrouve dans cet avion, en route pour le sud, pour Aix, pas si loin du camp de harkis où je suis né, de Sète, où papa faisait les vendanges pour un salaire d'esclave. Après ça, comment s'étonner qu'il ait fait ce qu'il a fait ? Que je fasse ce que je fais ?

Mais c'est comme ça. Les gens qui choisissent le mauvais camp perdent la guerre. Et continuent à perdre. Comme papa, qui a repris son fusil, après huit ans à se crever à la tâche dans leurs camps. Et deux ans plus tard, abattu dans la rue par des flics. Maintenant, c'est au tour de ce type, ce nazi français deux fois condamné à mort, un traître, un fugitif depuis quarante ans. C'est un vieillard à présent, mais on n'en a pas fini avec lui. Je suis dans cet avion pour aller le tuer. Et lui, il m'attend. Il en a déjà tué un.

Mon horoscope. Quel jour est-on ? Demain on sera le 5. « Le 9, vous serez obligé de faire quelque chose qui pourrait vous causer un grand tort. Ce n'est pas le moment de jouer au héros. »

3

Quel âge avait-elle ? Ce fut la première question que se posa le colonel Roux en recevant la convocation. Pour être juge d'instruction, elle devait avoir un certain âge. Savoir qu'on va travailler avec une femme pique toujours la curiosité. Mme Anne-Marie Livi. Un nom italien. Il n'avait pas pu se renseigner sur elle. Tant que la nouvelle n'était pas officielle, il n'avait pas le droit d'en parler, même à ses collègues officiers. Le général de Bernonville en personne avait reçu Roux dans son bureau pour le prévenir que c'était une affaire qui avait des implications politiques. Des implications au plus haut niveau. La police ne savait pas encore que l'enquête lui était retirée. Il y aurait des répercussions, c'était une certitude. Des répercussions politiques.

La veille, il avait dîné avec Claire dans un petit restaurant, à côté de la rue du Four. La sœur de Claire, Anne-Laure, avait accepté de jouer la baby-sitter. Il avait attendu cette soirée pour lui annoncer la nouvelle. Bien entendu, la première chose que Claire avait relevée était qu'il allait travailler avec une femme.

— Quel âge a-t-elle ? lui avait-elle demandé.

— Je n'en sais rien. C'est la question que je me pose. Elle ne doit pas être toute jeune si elle est juge d'instruction.

— Livi. Ce n'était pas le vrai nom d'Yves Montand ?

— Tu as raison. C'est peut-être sa sœur.

— J'espère. Ça voudrait dire qu'elle est trop vieille pour toi ! lui avait-elle alors lancé.

C'était une belle matinée de mai. Il se trouvait dans le couloir, devant l'un des bureaux anonymes situés à côté des galeries d'instruction du Palais de justice. À l'intérieur, il aperçut une grande femme, élégamment vêtue d'un tailleur vert sombre et d'un chemisier en soie blanc. Elle devait avoir moins de cinquante ans. Ses cheveux noirs se déployèrent sur ses épaules quand elle se pencha pour défaire les rubans qui retenaient la masse de documents que le clerc avait déposés sur son bureau. Ce dernier se tourna et fit signe à Roux d'entrer. La juge se leva et lui sourit, avançant la main pour le saluer. Le clerc sortit et referma la porte derrière lui.

Elle lui plut immédiatement. Elle jouait franc jeu.

— Colonel, comme vous le savez, je suis le troisième juge d'instruction à qui l'on confie cette affaire. En lisant les dossiers, j'ai pu me rendre compte des difficultés que mes prédécesseurs ont rencontrées. C'est sidérant. Nous devons prendre une nouvelle direction, et ce sur-le-champ. Dites-moi, vous a-t-on expliqué pourquoi j'ai demandé à ce que la gendarmerie prenne le relais ?

C'était une question directe. Il lui fournit la réponse du général de Bernonville :

— Si j'ai bien compris, c'est à cause des relations entre la direction de la police et le régime de Vichy. Il est de notoriété publique que la police française était pétainiste et a aidé l'occupant allemand à déporter des juifs vers les camps de concentration. Elle a même souvent agi de sa propre initiative, avant que les Allemands réclament quoi que ce soit. En revanche, la gendarmerie était proche de la Résistance et des forces du général de Gaulle qui se battaient hors de France. La gendarmerie a donc un casier vierge en ce qui concerne la collaboration. La police, non. Le général de Bernonville, mon supérieur, dit que c'est la raison pour laquelle vous avez décidé de retirer cette enquête à la police pour la confier à l'armée.

— Un parfait résumé, colonel. Vous auriez dû être avocat.

La juge redressa le buste et secoua la tête avec un petit rire.

Décidément, cette femme était séduisante.

Elle prit à deux mains une épaisse pile de documents, comme pour la peser.

— Et il n'y en a là qu'une partie. Il faudrait un mois pour tout lire. J'ai essayé. Et j'ai découvert quarante ans de dissimulations et de délais légaux, de procès reportés, d'enquêtes policières infructueuses, sans parler des efforts renouvelés du clergé catholique pour obtenir la grâce de cet homme. Pourquoi ? Brossard est un ancien milicien, deux fois condamné à mort par contumace, un collaborateur, un voleur et un assassin. Pourquoi ?

— Il a été gracié, si je ne me trompe ? dit Roux. En 1971. En partie grâce au soutien d'un homme d'Église.

— Vous avez dit « en partie », colonel. Et c'est le mot juste. Aucun ecclésiastique, pas même un évêque, n'aurait pu obtenir cette grâce sans le soutien de l'Élysée. C'est l'angle qui m'intéresse. Comment sont-ils parvenus à convaincre le président d'accorder la grâce à une crapule comme Brossard ? Et ils ont bien failli réussir. En fait, sans ce nouveau chef d'inculpation, il serait hors d'atteinte à l'heure qu'il est.

— Vous avez raison, madame. C'est ce qui a tout changé. Sans cette nouvelle accusation, il aurait bénéficié de la prescription pour les crimes de guerre, qui est arrivée à échéance cinq ans auparavant. Ce qui amène une autre question : pourquoi n'est-il pas sorti de sa cachette à ce moment-là ?

— Je suppose qu'il craignait les représailles, notamment de la part des fils et des filles de ses victimes. Ceux-là mêmes qui ont déposé la plainte de crimes contre l'humanité pour le meurtre des quatorze juifs de Dombey, en 1944. Dieu merci, il n'y a pas de prescription qui tienne, dans ce cas.

— Mais n'oubliez pas qu'il se fait vieux, intervint Roux. Il a soixante-dix ans.

— Je sais. Et s'il meurt avant qu'on lui mette la main dessus, le gros poisson ne passera jamais en justice.

— Le gros poisson ? Vous parlez de l'Église ?

— Non, je ne parle pas de l'Église, même s'il est vrai qu'elle est aussi impliquée. Dites-moi, colonel, êtes-vous catholique ?

Roux haussa les épaules.

— Officiellement, oui. Pratiquement, non.

— Comme beaucoup de gens, dit la juge. Ni croyant, ni pratiquant. Toutefois, nous savons que pour l'Église, dans... comment dit-on déjà ? « Dans la Maison de mon père, il y a de nombreuses demeures. » Je pense que c'est de circonstance. Nul n'ignore qu'une partie du clergé soutenait Vichy pendant la Seconde Guerre mondiale. Il y a peut-être des informations que l'Église souhaite encore garder secrètes. Mais nous savons aussi que la vérité est plus complexe. Il y a eu des prélats et des prêtres qui ont activement soutenu la Résistance, caché des juifs et protesté contre les déportations.

— C'est vrai. Mais je ne crois pas que les médias fassent fausse route lorsqu'ils dénoncent les prêtres, les évêques, et même les cardinaux qui se démènent depuis des années pour obtenir la grâce de Brossard. L'Église est très compromise. Et elle le sait. C'est pour cette raison que le cardinal Delavigne a nommé des laïques à la tête de son enquête. Au fait, il y aurait peut-être une piste de ce côté.

— Vous ne perdez pas de temps ! Quel genre de piste ?

— Un membre de la commission du cardinal qui serait disposé à nous aider.

— Voilà qui serait utile, approuva la juge Livi.

— Oui, mais cela va peut-être aussi nous compliquer la tâche. Si l'Église se décide à mener une véritable enquête, certains prêtres qui ont aidé Brossard jusqu'ici risquent de l'abandonner. Et il redoublera d'efforts pour se cacher.

— D'un autre côté, colonel, ces prêtres se montreront peut-être désireux de coopérer avec nous.

— Je l'espère. Mais vous avez mentionné... Vous avez parlé d'un gros poisson, non?

— Vous ne savez pas à qui je fais référence?

Roux hésita. Ne fais pas de gaffe. Laisse-la parler. Il secoua la tête.

— Trois autres Français ont été accusés comme Brossard de crimes contre l'humanité. Aucun n'a été jugé à ce jour. L'un d'entre eux était le plus haut représentant de Vichy en relation avec les occupants nazis, l'homme de la première grande rafle juive, au vélodrome d'Hiver, en 1942. Cet homme s'est débrouillé pour faire reporter son procès à plusieurs reprises. Aujourd'hui, il vit à Paris, riche et libre. Tout comme le deuxième, l'ancien chef de la police de Vichy. Vous avez peut-être noté que ce dernier s'est présenté aux élections législatives après la guerre et qu'il était par ailleurs un proche du président de la République.

— Effectivement, je me souviens m'être fait la réflexion, dit Roux.

— Quant au dernier des trois, il est probablement le plus grand criminel de tous. Il vit confortablement chez lui, à Paris, entouré de ses amis et de sa famille. À la différence de Brossard, il n'a rien d'un criminel endurci au casier judiciaire chargé. Non, il est même commandeur de la Légion d'honneur ; c'est un technocrate habile qui opère au plus haut niveau du gouvernement. Il s'agit de l'ancien secrétaire général de la préfecture de la Gironde, un homme qui a été l'ami de plusieurs présidents dans les années d'après-guerre. Il a même été ministre sous Giscard d'Estaing. Pendant la guerre, il a rempli plusieurs trains de juifs pour les envoyer dans les camps de la mort, en Allemagne.

— Difficile à croire, n'est-ce pas? dit Roux.

— Pas tant que cela. Ces trois hommes avaient d'excellents avocats. Ils ne se cachaient pas. Ils n'en avaient pas besoin. Ils ont répondu à la convocation, gardant un silence discret tandis qu'on leur annonçait qu'ils étaient inculpés de crimes contre l'humanité. On les a relâchés en attendant leur procès. Je crois que si l'on n'attrape pas Brossard, aucun de ces individus ne sera jamais jugé. Mais si Brossard est condamné, on pourra mobiliser l'opinion publique pour les faire comparaître. De toute manière, ce procès doit avoir lieu. Et je suis prête à parier qu'on découvrira que, depuis des années, des présidents, des Premiers ministres, des cardinaux, des juges et des préfets de police font partie de cette conspiration. Si la vérité n'apparaît pas au grand jour, c'est une tache qui salira pour toujours la conscience de notre pays.

La juge se redressa sur sa chaise avec un soupir.

— Je suis désolée, colonel. Je dois vous paraître bien pompeuse, mais c'est mon intime conviction.

Roux la regarda en souriant.

— J'en suis ravi, madame, parce que c'est également la mienne.

— Nous sommes donc alliés?

— Bien sûr. J'ai déjà commencé mon enquête. Cet après-midi, je pars pour Caunes, dans le Languedoc.

— Caunes?

— Mgr Maurice Le Moyne s'y est retiré. Il était le plus grand défenseur de Brossard. C'est en partie – pour ne pas dire en majeure partie – grâce à son acharnement que cette fameuse grâce a été accordée à Brossard.

— Le Moyne, répéta la juge. Mais pourquoi accepterait-il de vous aider? À moins que vous n'ayez une idée derrière la tête?

— L'association juive qui a porté plainte pour crimes contre l'humanité est présidée par Serge Klarsfeld, l'avocat qui a mené Klaus Barbie devant les tribunaux. Elle recherche activement Brossard. Le centre Simon Wiesenthal qui, comme vous le savez, est en matière de chasse aux nazis le plus efficace et le plus influent, a également intensifié ses efforts pour retrouver notre homme. Tous ces gens respectent la loi et jamais ils n'agiraient hors du cadre légal. Mais il semblerait qu'un autre groupe soit impliqué. La Direction de la surveillance du territoire a intercepté deux conversations téléphoniques indiquant qu'un commando juif est en train de préparer l'assassinat de Brossard, de peur qu'il ne passe jamais en jugement. Si c'est vrai, il n'y a pas de temps à perdre.

— Intéressant, commenta la juge. Pourquoi ne m'en a-t-on pas avertie?

— La DST dépend de la police nationale. Elle ne tient pas à voir les gendarmes réussir là où les policiers ont échoué.

— Ce n'est donc pas la DST qui vous a informé?

— Non. Mais nous disposons d'autres sources. Et si ce commando juif, qui essaie de tuer Brossard, existe vraiment, je peux me servir de cette information pour convaincre ses amis du clergé que nous sommes les moins dangereux de ses poursuivants. Brossard ne serait sans doute pas sensible à un tel argument, mais Mgr Le Moyne, peut-être. En tout cas, cela vaut la peine d'essayer.

— Quand partez-vous pour Caunes?

— J'ai un vol pour Montpellier à 15 heures.

— Dans ce cas, nous pourrions peut-être déjeuner ensemble avant?

— Avec grand plaisir, madame.

4

Mgr Le Moyne pensait parfois qu'il avait une double personnalité, un ange perché sur chaque épaule. À gauche était l'ange noir, ambitieux, attiré par le faste de l'archevêché lyonnais, les agapes, le bon vin, la Renault 25 toujours à sa disposition, les attentions qu'on lui prodiguait en tant que secrétaire privé du cardinal. Il avait servi trois cardinaux sans jamais occuper de position importante. Il n'était qu'un humble employé qui organisait les réunions épiscopales, gérait les emplois du temps et filtrait les solliciteurs ; un valet, presque, qui s'occupait des détails de la garde-robe du cardinal et prenait ses rendez-vous chez le médecin. Mais, à Lyon puis à Rome, il avait su user de son titre de secrétaire privé et du prestige du nom du cardinal pour obtenir la grâce présidentielle de Pierre Brossard. Il soupçonnait son ange noir d'être l'instigateur de cette croisade. Il ne doutait pas de la noblesse de sa mission, mais il y avait peut-être là un soupçon d'ambition personnelle, un désir secret d'être considéré comme un sauveur, l'instrument de la paix et de la réconciliation nationale. Il avait toujours eu un faible pour ce rôle. Mgr Mautin, le vicaire général du diocèse de Lyon, lui avait dit un jour qu'il s'était constitué en « bureau d'accueil de toutes les formes de détresse ». C'était déjà vrai avant qu'il prenne fait et cause pour Pierre Brossard. Le cardinal Villemorin n'avait pas tort non plus lorsqu'il lui faisait remarquer que Brossard était devenu son but principal dans la vie. Au cours des deux dernières décennies, il avait passé un temps infini à correspondre avec des figures religieuses et politiques de premier plan, à rendre visite à ceux qui pourraient apporter des témoignages favorables, à étudier des documents juridiques, à demander le pardon de son protégé au nom de la charité chrétienne. Tout cela l'avait tant occupé qu'il avait parfois négligé la vie de l'esprit, s'attirant les foudres de l'ange blanc juché sur son épaule droite, le gardien de son âme.

L'ange blanc, bien entendu, approuvait la vie qu'il menait à Caunes. Cette maison de retraite était un véritable monastère. Les sœurs de l'Enfant-Jésus, qui tenaient ce havre pour religieux à la retraite, appartenaient à un ordre traditionaliste : elles portaient de longues robes, se consacraient au travail et à la prière dans l'enceinte du couvent et obéissaient à l'évêque local en tout point. Caunes, un petit village qui avait peu changé au cours des siècles, lui rappelait au quotidien ce qu'était la France profonde, une France régie par des valeurs, des croyances et des coutumes qui disparaissaient rapidement en cette fin de siècle turbulente. Dans le silence de l'église, il lui arrivait de s'agenouiller pendant des heures, indifférent à ses douleurs articulaires. Les yeux fixés sur l'autel, il cherchait à oublier son acharnement à sauver Brossard, priant et méditant pour atteindre un état où lui, Maurice Le Moyne, n'aurait d'autre désir et d'autre ambition que de rendre grâce à Jésus-Christ, notre Seigneur.

Ces derniers temps, Rome et Lyon apparaissaient rarement dans les couloirs abîmés de sa mémoire. Qu'avait-il accompli dans sa vie de prêtre ? En vérité, rien ne semblait avoir abouti. Rien. Peut-être, au fil des ans, avait-il réussi à montrer à quelques pécheurs la voie de la lumière divine. Certains avaient sans doute tiré parti de ses conseils. Mais se féliciter d'avoir ramené des malheureux à Dieu était déjà un péché : le péché d'orgueil. Et pour être honnête, cela n'avait jamais été véritablement un objectif. En fin de compte, son rêve de réconciliation nationale, son rêve d'obtenir la grâce de son protégé pour donner l'exemple aux Français, pour qu'ils oublient et pardonnent les erreurs du passé, s'était écroulé. Définitivement écroulé. Il s'était pourtant montré habile et tenace, ne se laissant jamais prendre au dépourvu. Ce n'était pas pour rien qu'il était le fils de l'ancien bâtonnier du barreau de Marseille. Il avait d'ailleurs étudié le droit avant son ordination, et sa connaissance de la loi l'avait souvent aidé au cours de sa croisade. Mais combien d'années de sa vie avait-il gaspillées ainsi ? Oui, gaspillées. Dire qu'il avait réussi au plus haut niveau, qu'il avait obtenu une grâce signée de la main du président de la République et que, à présent, des années plus tard, il lui fallait reconnaître que tout cela n'avait servi à rien. Les ennemis de la réconciliation nationale avaient une fois encore triomphé. Brossard était toujours traqué, plus qu'à aucun autre moment de son existence. « Les juifs veulent ma peau », dit toujours Pierre. Hélas, il a raison. Mais je ne peux pas dire une chose pareille. Nous devons pardonner à nos ennemis, en particulier aux juifs. J'ai honte des mots que j'ai pu proférer contre eux autrefois. Je n'ai pas le droit de les critiquer maintenant que je connais la vérité : les fosses communes, les corps nus et émaciés, les soldats nazis, arme au poing. On exagère le nombre de morts, certes, mais quelle importance ? Un péché reste un péché, quel que soit le nombre.

Mgr Le Moyne dépendait aujourd'hui de la bonne volonté de son entourage pour ses déplacements. Un vigneron, qui avait des affaires à régler à Carcassonne, lui avait proposé de l'emmener. C'était pour lui l'occasion de rendre visite à Roger Dufour, un avocat aujourd'hui à la retraite, qui était un vieil ami d'enfance.

Quatre jours plus tard, le vigneron l'avait repris à la sortie de Carcassonne, peu après 14 heures. L'homme, un veuf, père de deux adolescents, savait gré à Mgr Le Moyne d'avoir accepté de comparaître en tant que témoin de moralité d'un de ses deux fils, qui s'était retrouvé impliqué dans une stupide affaire de drogue. Tout en conduisant, il s'était très vite lancé dans l'une de ses diatribes favorites contre la population immigrée. Il était persuadé que son fils avait subi la mauvaise influence de ses camarades musulmans à l'école.

— Le Pen a raison, dit-il. Qu'on les renvoie chez eux. Qu'en pensez-vous, mon père ? Est-ce que vous ne voteriez pas pour Le Pen à ma place ?

Mgr Le Moyne fixait la route devant lui.

Il était plus de 17 heures lorsqu'ils arrivèrent à Caunes. Le vigneron poussa l'amabilité jusqu'à le déposer devant la porte de la maison de retraite. Il s'était mis à pleuvoir. Le religieux sonna, se blottissant sous le toit du porche pour ne pas se mouiller. Il se sentait épuisé. Il irait se coucher tout de suite après dîner.

— Monseigneur, quel plaisir ! Alors, ce séjour ?

— Agréable, ma sœur. Fort agréable.

— Nous sommes heureuses que vous soyez de retour. Figurez-vous que votre ami monsieur Pierre ous attend depuis deux jours. Nous n'avions pas votre adresse à Carcassonne. Pauvre homme, il semblait très impatient de vous voir. Il est descendu à la pension Médicis. Et, oh ! quelqu'un d'autre a téléphoné aujourd'hui. Un certain colonel Roux. Nous lui avons dit que vous deviez rentrer ce soir. Il voulait qu'on le prévienne dès votre arrivée.

— Un colonel ?

— Oui, mon père.

— Et comment est-on censé le contacter ? Il a laissé un numéro de téléphone ?

— Oui, mon père. Un instant, je vais le chercher.

Il la regarda disparaître dans le petit bureau qui donnait sur le couloir. Qui était ce colonel ? Et que faisait Pierre Brossard à Caunes ?

— Voici.

Il regarda le bout de papier. Un numéro local.

— Puis-je téléphoner, ma sœur?

Seul dans le petit bureau, il composa le numéro.

— Allô? Ici la gendarmerie.

Aussitôt, il raccrocha le combiné. Une semaine auparavant, Dom Adelbert l'avait appelé de Montélimar et lui avait révélé deux informations troublantes.

— Maurice, as-tu eu des nouvelles de l'archevêché, récemment?

— Non, pourquoi?

— On m'a dit que le cardinal Delavigne allait nous envoyer deux membres de son équipe, avec des photographies de notre ami. Ils vont faire la tournée des couvents, des presbytères, des monastères et de tous les lieux soupçonnés de l'avoir hébergé par le passé. Ils montrent sa photo et demandent à ce qu'il ne soit plus reçu à l'avenir.

— C'est une honte!

— Écoute, la situation a changé. Delavigne doit faire face à des questions gênantes. Les médias ne lui font pas de cadeau, comme tu dois le savoir.

— Mais nous n'avons quand même pas perdu tous nos soutiens? avait insisté Mgr Le Moyne.

— J'espère que non. Mais il y a du nouveau au sujet de l'enquête. J'ai appris de source fiable que le nouveau juge d'instruction, une femme soit dit en passant, a retiré l'enquête à la police pour la confier à la gendarmerie. La gendarmerie a toujours été hostile au Maréchal.

— Je le sais, oui.

— Tu risques donc de recevoir une visite de l'archevêché ou de la gendarmerie. J'ai pensé qu'il valait mieux te prévenir.

Voilà. À peine une semaine après, je trouve un colonel en mal de promotion quasiment à ma porte. Et Pierre qui est ici, dans le même village, au même moment. Dans une pension, en plus! C'est bizarre quand j'y pense. Pourquoi n'est-il pas allé chez l'abbé Fessard, à

Peyriac, un peu plus loin sur la route ? Fessard aurait-il refusé de le recevoir ?

Il se rendit compte que sa main tremblait lorsqu'il prit l'annuaire pour chercher le numéro de la pension Médicis.

— Monseigneur Le Moyne à l'appareil. Avez-vous un M. Pouliot chez vous ?

— Oui, monseigneur. Je vais le chercher tout de suite.

Il attendit. La gendarmerie surveillait peut-être la maison de retraite.

— Monseigneur ? C'est Pierre. Vous ne pouvez pas savoir comme je suis content que vous soyez rentré. Je sais qu'il est tard, mais est-ce que je peux passer ? Nous pourrions peut-être dîner ensemble ? Je dois vous parler.

— Pierre, écoutez-moi. Je vous retrouverai à l'église. Agenouillez-vous au fond, près de l'autel de Notre-Dame. Je m'assiérai sur le banc derrière vous. Et surtout, ne me regardez pas. Nous sommes peut-être surveillés.

Une des particularités de Brossard, comme Mgr Le Moyne le savait parfaitement, était qu'il ne relâchait jamais sa vigilance.

— D'accord, monseigneur. J'y vais sur-le-champ.

Caunes était peu fréquenté par les touristes, même à l'approche de l'été. Dans les rues étroites de la ville, Mgr Le Moyne ne croisa que Mme Malet, qui rentrait les corbeilles de fruits et de légumes exposées sur l'étal devant sa boutique, ainsi que le vieux Pellerat, un retraité assis sur son banc, devant la fontaine, comme d'habitude. Il était presque certain de ne pas être suivi. Ses pas claquaient sur les pavés avec un vacarme assourdissant qui lui semblait de mauvais augure. Maintenant qu'il sentait le souffle de la gendarmerie sur sa nuque, il comprenait enfin ce que Brossard avait dû vivre au cours de ces années, toujours sur le qui-vive, pour s'assurer qu'il n'était pas filé. Quand je pense qu'à une époque il n'osait s'aventurer dehors que la nuit. Vivre avec des faux papiers, aller d'un refuge à l'autre, toujours seul ; dépendre de l'aide des couvents et des monastères, sans jamais savoir quand le prêtre ou la mère supérieure à qui vous demandez l'asile va vous accueillir dans un esprit de charité chrétienne ou vous repousser avec dégoût. Et, à présent, il court un danger plus grand encore. Son histoire, encore inconnue du grand public avant la grâce, est devenue l'affaire du jour. La presse ne le lâchera plus. Je me souviens qu'il m'a récemment écrit avoir compté le nombre de fois où son nom avait été cité dans *Le Monde*. Plus de quatre mille fois, à l'en croire. Et cela n'aura jamais de fin. Pas tant qu'il vivra. Dieu lui a pardonné ses péchés. De cela je suis sûr. Mais ses ennemis ne le laisseront pas en paix.

Près de l'église, Durand, le sacristain, arrosait l'allée derrière le cimetière.

— Bonsoir, mon père. Il a fait chaud aujourd'hui, pas vrai ?

— Très chaud, oui. Le père Cadras confesse ce soir, je crois ?

— Oui, mon père.

Cela signifiait que l'église fermerait tard.

— Merci, monsieur Durand.

Il y avait cinq personnes dans l'église. Deux femmes étaient agenouillées, devant un autel où brûlaient des cierges. À côté du confessionnal du père Cadras, un homme solitaire attendait son tour, agenouillé lui aussi. Brossard était assis dans le collatéral, en partie caché par un pilier, face à l'autel de Notre-Dame.

Mgr Le Moyne s'approcha, fit une génuflexion et s'assit sur le banc derrière lui.

— Pierre ? murmura-t-il.

— Mon père, sommes-nous surveillés ?

— Je n'en suis pas sûr. Je vous raconterai plus tard. Que faites-vous ici ? Je croyais que nous avions décidé qu'il valait mieux ne pas nous voir pendant quelque temps ?

— Il fallait que je vienne. C'est étrange. Me voilà agenouillé dans une église, moi qui voulais justement me confesser. C'est urgent. Et je ne pouvais parler qu'à vous.

— C'est faux. N'importe quel prêtre peut entendre votre confession. C'est de l'inconscience d'être venu.

— Je viens de tuer un homme. Vous êtes le seul à qui je puisse le dire.

— Qui avez-vous tué ?

— Un juif. Un juif chargé de m'assassiner. C'était de la légitime défense, mais…

Il a tué un juif. Et il y a un colonel de gendarmerie ici, à Caunes, qui désire me voir.

— Que s'est-il passé ?

Le chuchotement familier s'éleva. Lorsqu'il eut terminé, le prêtre demanda :

— Mais que faisiez-vous à Salon ? Comment ces gens ont-ils su que vous y seriez ?

— Je n'en ai aucune idée, mon père. Je séjournais à l'abbaye de Saint-Cros, à la sortie de la ville. Je vais souvent là-bas. C'est un endroit très sûr. La veille, j'ai eu l'impression d'être suivi, mais je n'en étais pas certain. Vous savez, on devient facilement paranoïaque dans ce genre de situation. Surtout en ce moment.

Donc il a une arme. Il est prêt à se défendre et même à tuer. Lui qui avait promis de ne plus jamais ôter la vie. Serait-il possible qu'il me mente, comme il est forcé de mentir à d'autres ? Si ce qu'il dit est vrai, si le juif était sur le point de le tuer, il n'a pas commis de crime en se défendant. Mais jeter la voiture et le cadavre dans un ravin ?

— Pierre, nous avons discuté de cela très souvent. Je sais ce que vous ressentez à l'idée de vous rendre. J'ai toujours respecté votre souhait, mais maintenant, écoutez-moi : le passeport et cette déclaration, vous les avez gardés, bien sûr ? Ne voyez-vous pas que si vous vous livrez à la police et si vous leur donnez ces documents, la plupart des gens se rendront compte que vous êtes persécuté ? Que les juifs veulent vous tuer et qu'ils se comportent comme de vulgaires meurtriers ? C'est peut-être le moment de sortir de l'ombre.

Tout en parlant, le prêtre regardait le dos de l'homme assis devant lui, silencieux, les yeux fixés sur la statue de la Madone auréolée d'un halo d'ampoules électriques. Pierre est un vieillard à présent. Des cheveux blancs, le cou et le visage striés de rides profondes, des habits de misère : un gilet de laine gris élimé, un pantalon en velours dans le même état, de gros brodequins. Dans ses mains, comme toujours lorsqu'il est à l'église, un rosaire. Je sais qu'il est pieux, je sais qu'il se repent vraiment, je sais qu'il mène une vie irréprochable depuis quarante ans. Comment aurais-je pu l'aider si je n'avais pas cru à son repentir ? Pourtant, hier, il a tué un homme. Et aujourd'hui il demande pardon à Dieu.

— Eh bien, Pierre ? Répondez-moi.

— Mon père, si je fais ce que vous dites, ils me jugeront et me condamneront. Je passerai le restant de mes jours dans une cellule, comme Klaus Barbie.

— La police a-t-elle retrouvé le corps ?

— Je n'en sais rien. Ce n'est pas ce qui me préoccupe. Je ne suis pas venu réclamer de l'aide. Je suis venu me confesser et vous demander l'absolution. Ils essaieront encore de me tuer. Si je dois mourir maintenant, je veux être en état de grâce. Vous dites que, par mes années de souffrances, j'ai gagné le pardon de Dieu. C'est tout ce qui m'importe. Je ne voulais plus tuer. J'ai été obligé de le faire. Ai-je péché en prenant la vie de ce juif ?

— Je ne peux pas répondre à cette question, Pierre. Mais dans tous les cas, Dieu vous pardonnera. Je vais vous donner l'absolution.

Il prononça la formule consacrée.

— Dieu vous bénisse, mon père. Et ne vous inquiétez pas. Je partirai dès ce soir.

— Pierre, j'ai d'autres mauvaises nouvelles. Il y a un colonel de gendarmerie, ici, à Caunes. Il est arrivé ce matin et veut me voir. Vous savez, n'est-ce pas, que c'est la gendarmerie qui a repris votre dossier?

À cet instant, il entendit la porte du confessionnal se refermer de l'autre côté de la nef centrale. Le curé de la paroisse en sortit. Il avait terminé ses confessions. Voyant Mgr Le Moyne, il lui fit signe et s'approcha.

Le père Cadras n'avait jamais vu Brossard, mais la presse avait diffusé des photographies. Mgr Le Moyne se leva vivement et traversa la nef pour serrer la main du curé.

— Vous revenez de Carcassonne, monseigneur?

— Oui. C'était bien agréable.

— Vous y étiez le jour de la manifestation contre Maastricht?

— Oui, mais je n'ai pas pu y aller.

Tout en parlant au curé, du coin de l'œil, il vit Brossard se lever, faire une génuflexion devant l'autel et s'éloigner précipitamment par le côté, en direction de la porte latérale. Le curé ne lui prêta pas attention.

— C'est un sujet qui déchaîne les passions, dit-il. On ne peut pas en vouloir aux paysans de la région.

— Les gens redoutent les changements. C'est compréhensible.

— Ces traités européens... Vous savez ce que j'en pense? Ce sont des manœuvres pour remettre les Allemands aux commandes.

— Vous n'avez peut-être pas tort, répondit Mgr Le Moyne.

Il entendit la porte claquer. Quand reverrait-il Brossard – s'il le revoyait un jour?

5

La roulette avait tourné et la bille d'acier s'était arrêtée sur une case perdante. La chance l'avait déserté. À son arrivée, comme d'habitude, il s'était rendu chez l'abbé Fessard, à Peyriac, à quatre kilomètres de là. Mais l'abbé avait bafouillé une excuse au sujet d'un invité qui occupait la chambre d'ami. Prenait-il ses distances, comme d'autres ? Ensuite, il avait appris que Mgr Le Moyne était parti à Carcassonne et ne rentrerait pas avant deux jours. Et maintenant, un colonel de gendarmerie. Un colonel qui voulait voir Mgr Le Moyne. Ici ! Dans ce trou où je pourrais tomber sur lui à chaque coin de rue. Si on m'a vu en compagnie de Mgr Le Moyne dans l'église, peut-être me suit-on à présent.

Mais les rues de Caunes étaient désertes. Les gens dînaient. Aucune voiture n'était garée sur la petite place qu'il fallait traverser pour gagner la pension Médicis. Il adressa un signe de tête à un vieillard assis sur un banc, devant la mairie. Au même moment, un des gendarmes de la ville sortit du bâtiment et salua l'homme en salopette bleue qui s'acquittait chaque jour de descendre le drapeau.

Le gendarme marchait à présent dans l'étroite ruelle, à quelques pas derrière lui. Il se força à ralentir. Le gendarme le rattrapa et le dépassa, puis bifurqua sur la droite. La pension n'était plus qu'à deux rues de là. Sa Peugeot était garée dans la cour, à l'arrière. Il ne lui faudrait que quelques minutes pour récupérer son sac, payer sa note et partir. Ce colonel n'avait aucune raison de suspecter sa présence.

Chaque fois qu'il sentait la peur l'étreindre, il s'inquiétait pour son cœur. Et, comme chaque fois, il s'efforça de penser à autre chose. Il pensa à l'absolution. *Ego te absolvo*. Ces mots étaient pour lui les plus joyeux de la religion. Il se souvenait des lointaines années de son enfance à Sanary, du sentiment de triomphe qu'il ressentait en sortant de confesse. La confession était le plus grand sacrement de l'Église. Un passeport pour échapper aux flammes de l'enfer. Parfois, il songeait qu'il ne serait pas aussi fervent ni aussi assidu dans ses devoirs sans le soulagement de savoir que ses péchés lui seraient pardonnés. C'était pour cette raison qu'il était venu à Caunes. Cela en valait la peine, avec ou sans colonel. *Ego te absolvo*.

Mais ces pensées ne réussirent pas à le tranquilliser. Il sentait son cœur s'affoler comme un oiseau prisonnier dans sa poitrine. Dans la ruelle qui menait à la petite pension, il tâta son pouls. Irrégulier. J'ai pourtant pris mon cachet ce matin. L'ai-je pris ou non ?

Lorsqu'il pénétra dans le hall de l'établissement, la propriétaire, assise à son bureau sous une affiche du festival de musique de Montpellier, leva vers lui un sourire hypocrite.

— Dînerez-vous avec nous ce soir ?

— Hélas non, madame. Auriez-vous l'obligeance de me préparer ma note ?

— Vous avez trouvé Mgr Le Moyne, finalement ?

— Oui, merci.

Sa chambre était située au premier étage. Elle donnait sur la cour où il avait laissé sa voiture. Tandis qu'il rangeait ses affaires dans sa valise, il remarqua une Renault noire avec une plaque d'immatriculation officielle, garée à côté de sa Peugeot. Soudain, le moteur de la Renault s'éveilla et la voiture sortit de la cour. En passant sous sa fenêtre, le conducteur tourna la tête et leva les yeux.

Il recula, trébuchant sur le lit dans sa hâte à se dissimuler. Un officier en uniforme de la gendarmerie. Il écouta. Le bruit de la voiture diminuait. Il n'y a aucun officier de ce rang à Caunes. Dire que cet homme aurait pu passer dans le hall pendant que je discutais avec l'hôtelière.

Il ferma sa valise, vérifia qu'il n'avait pas oublié son rasoir dans la salle de bains, puis descendit le petit escalier. La femme posa la note sur le comptoir. Il paya.

— Je viens de voir partir une voiture avec une plaque officielle. Je me demande à quoi elle correspond?

— Je ne peux pas vous dire, monsieur. Je n'ai pas vu la voiture.

— Elle appartient à un officier, je pense. De la gendarmerie.

— Ah, je vois. Attendez, dit-elle en se penchant sur le registre. Oui, de Paris, vous avez raison.

— C'est une de mes marottes. Les plaques d'immatriculation. Quoi qu'il en soit, je vous remercie.

Il plia la note et la glissa dans sa poche.

— Bon voyage, monsieur.

6

Roux avait étudié les dossiers. Ils étaient étonnamment circonstanciés, si l'on songeait que l'homme n'avait pas de casier judiciaire. Des années de rapports rédigés par la police et les renseignements, et même une note confidentielle, obtenue par un contact à l'Élysée. Mais le dossier le plus intrigant sur Maurice Le Moyne était l'œuvre d'un jeune historien, un membre de la commission du cardinal Delavigne qui enquêtait sur l'implication de l'Église dans l'affaire Brossard. Même à présent qu'il avait le dossier entre les mains, Roux ignorait totalement comment la juge Livi se l'était procuré. Il s'agissait d'une série d'entretiens, de commentaires et d'un curriculum vitae qui traçaient le portrait d'un ecclésiastique au pouvoir dérisoire, que ses supérieurs jugeaient naïf sur le plan politique et que le cardinal pour qui il avait travaillé qualifiait dédaigneusement de « pauvre imbécile ». Pourtant, cet homme était parvenu à manipuler et à influencer des gens à un très haut niveau. Il y avait le bon Samaritain ; l'auteur de lettres interminables, adjurant ses correspondants de se rappeler les mots du Christ : « Pardonnez et vous serez pardonnés. » Il y avait l'infatigable importun qui, dans sa quête de témoignages susceptibles d'aider son sulfureux protégé, avait même rendu visite à d'anciennes victimes de la Milice pour leur demander leur soutien, déclarant sans vergogne : « En tant que prêtre et chrétien, j'ose demander le pardon pour cet homme. » Il y avait la lettre au général de Gaulle, où il écrivait : « Dans cette affaire, j'agis par charité chrétienne et pour aucun autre motif, ni par intérêt, ni par ambition, ni à des fins politiques, ni parce que j'y suis forcé. » Mais, bien sûr, comme les dossiers le prouvaient, ce n'était pas la vérité. Dans la même lettre à de Gaulle, Mgr Le Moyne sous-entendait que Brossard était innocent des crimes dont il le savait nécessairement coupable. Et on trouvait des mensonges similaires dans d'autres lettres adressées à des hommes de pouvoir. Lorsqu'il était à Rome, dans les années 60, simple employé chargé de l'intendance d'un cardinal français au Vatican, il avait écrit des courriers à des chefs d'État, auxquels il se présentait comme le « secrétaire privé de Son Éminence », insinuant à tort qu'il avait l'approbation du cardinal. Cette démarche avait éveillé des soupçons au plus haut niveau du gouvernement français, qui se demandait si Rome avait une raison particulière de protéger Brossard.

Roux bifurqua dans une rue étroite en direction de la maison de retraite de la rue Danton, le dossier posé sur le siège passager. Il avait téléphoné à 18 heures et on lui avait confirmé que monseigneur dînerait à la résidence, comme à son habitude. Le repas était à 19 heures. Il avait décidé d'arriver à 19 h 30, pour le surprendre à table. Il ne fallait jamais négliger l'aspect théâtral dans ce genre d'affaire. Il portait son uniforme, avec gants et képi. Il aurait l'attitude d'un militaire tout au long de l'entretien, jamais celle d'un policier.

— Monseigneur sera là dans un instant.

Dans la pièce sombre et exiguë réservée aux visiteurs, trônait une grande statue en plâtre de la Vierge, stratégiquement placée en face de l'unique fenêtre, pour que les rayons vespéraux forment un halo autour de la tête de la Madone. Il posa ses gants et son képi sur la table cirée et fit face à la porte. Le vieil homme qui entra dans la pièce aurait pu être le père de Roux. Petit et frêle, en soutane noire et bottines de caoutchouc, son visage n'était plus qu'un masque asexué figé par l'âge.

— Bonsoir, monsieur, dit l'ecclésiastique. J'étais malheureusement absent lorsque vous avez téléphoné ce matin.

Roux se présenta comme étant l'officier chargé de la nouvelle enquête sur Brossard. Le prêtre lui proposa un siège.

— Naturellement, vous êtes venu me voir. Ils le font tous. Et, chaque fois, je dois leur donner la même réponse. Je ne suis plus en contact avec Pierre Brossard. Je crois qu'en rejoignant la Milice il a commis une grave erreur, comme beaucoup de jeunes gens de sa génération. Mais je crois également qu'il a agi de bonne foi. Donc, même si je le pouvais, je refuserais de vous aider.

— Mais, monseigneur, vous devez être conscient que ce n'est pas le seul problème ! Je sais que vous le croyez innocent du meurtre des quatorze juifs de Dombey. Mais prétendre qu'il a agi de bonne foi serait naïf. De plus, il y a d'autres charges contre lui. Que dites-vous des propriétés dont il a dépossédé plusieurs familles juives ? Cela figure dans son dossier. Ce sont des faits prouvés.

— Colonel, la réquisition de propriétés juives était une pratique courante sous le régime de Vichy. Pierre Brossard ne faisait qu'exécuter des ordres.

— Son dossier indique aussi qu'il a dérobé des bijoux, des meubles et d'autres biens appartenant à ces juifs, et qu'il a mis l'argent dans ses poches. Excusez-moi, mais c'est le comportement d'un voleur.

— Colonel, permettez-moi de douter de l'exactitude de vos informations. Quoi qu'il en soit, le président a gracié Brossard en 1971. Sans cette nouvelle accusation, qui n'est absolument pas prouvée, il serait libre à l'heure qu'il est. Cette plainte n'est qu'un exemple des persécutions dont il fait l'objet depuis quarante ans. Sans vouloir vous offenser, vous êtes trop jeune pour vous rappeler cette période de l'Occupation, où la Résistance était sous le contrôle de communistes dont le seul but était de livrer notre pays à Staline. Il n'y a rien de surprenant à ce que la plupart des Français soient restés fidèles au régime du maréchal Pétain. Je n'essaie pas de nier le caractère odieux de la Milice, qui était étroitement liée à l'occupant allemand. Mais je réfute et j'ai toujours réfuté les accusations selon lesquelles Pierre Brossard aurait fait exécuter les juifs de Dombey et serait responsable de la torture et de la mort d'autres juifs ainsi que de plusieurs résistants. Je sais aussi, et vous devez me croire sur parole, qu'il est devenu un chrétien pratiquant, très pieux, qui, depuis des années, mène une vie sans tache. Comme le président Mitterrand et beaucoup d'hommes de notre génération, je crois que nous devons aller de l'avant et oublier ces vieilles animosités et notre soif de vengeance.

Mgr Le Moyne fit une pause et ouvrit les paumes en signe d'excuse.

— Désolé. J'ai la mauvaise habitude de faire des sermons. Veuillez me pardonner. Mais je tiens à ce que vous compreniez ma position.

— Je la comprends tout à fait. C'est pour cette raison que je ne suis pas venu ici avec l'intention de vous convaincre de me révéler où je pourrais trouver Brossard. Mais il y a un nouveau développement auquel j'aimerais que vous réfléchissiez. Nous avons découvert très récemment qu'un groupe juif a formé un commando dans le but de l'assassiner. Son existence a été découverte par la Direction de la surveillance du territoire. D'après des coups de téléphone interceptés par la DST, il semblerait que ce groupe ait accès à des informations sur les allées et venues de Brossard. Sa vie est réellement en danger. S'il se rend, au moins sera-t-il à l'abri de ces assassins. Et si, comme vous le dites, il est innocent du nouveau crime dont on l'accuse, il pourra blanchir son nom. C'est pour cette raison que je suis venu vous voir. Vous avez peut-être un moyen de le contacter ?

Un silence tomba dans la pièce. La tête baissée, Mgr Le Moyne semblait méditer. Enfin il leva les yeux, non pas sur Roux, mais sur la Madone qui lui faisait face.

— Mais qui est derrière ce groupe ? Le savez-vous ?

— Non. Mais nous savons qu'ils sont persuadés que Brossard ne passera jamais en jugement. C'est pour cette raison qu'ils ont décidé de le tuer.

— Mais comment savent-ils où le trouver ? Vous prétendez qu'ils ont accès à des informations. Que voulez-vous dire par là ?

Il m'a compris, décida Roux. Il cherche à me faire parler. Autant lui dire la vérité.

— Je l'ignore, mon père. Je vous répète ce que m'a dit la DST.

— Je vois.

Mgr Le Moyne se leva et s'approcha de la fenêtre. Il se tint là un moment sans prononcer un mot, puis se retourna.

— Colonel, comme je vous l'ai dit, je ne sais pas où il se trouve. Mais je pense que vous avez raison. C'est pour lui l'occasion ou jamais de se rendre. J'en ai déjà discuté avec lui par le passé. Je l'ai supplié de se livrer et de se défendre. Mais ses années de clandestinité ont développé chez lui un sentiment de persécution. Il est convaincu qu'il ne bénéficiera pas d'un procès équitable. Il sera difficile de le persuader du contraire.

— Monseigneur, si quelqu'un peut le persuader, c'est bien vous.

— J'en doute. Et je le répète, je ne sais pas où le trouver.

— C'est dommage. J'espérais que vous auriez un moyen de le joindre. Il court un grave danger. Je suis persuadé que quelqu'un en qui il a confiance le trahit.

— Mais pourquoi ferait-on une chose pareille?

— Pour l'argent, peut-être.

— L'argent des juifs? C'est possible, en effet.

Roux se leva à son tour, reprenant ses gants et son képi sur la table.

— Quoi qu'il en soit, je vous remercie de m'avoir reçu. Je suis désolé d'avoir interrompu votre dîner.

— Ce n'est rien. Dites-moi… Supposons que, par hasard… Si Pierre Brossard me contacte, puis-je avoir votre carte? Et peut-être un numéro de téléphone… un numéro où l'on pourrait vous joindre n'importe quand?

— Bien sûr, répondit Roux en déboutonnant la poche de poitrine de son uniforme. Voilà. C'est ma ligne directe.

— Merci. Vous comptez rentrer directement à Paris?

— Je vais passer la nuit à Montpellier. J'ai un avion pour Paris demain matin.

— Très bien, dans ce cas, je ne vous retiens pas.

Ils se serrèrent la main sur le pas de la porte. Comme il passait la première vitesse, Roux se retourna et vit le prêtre lever le bras droit en signe d'adieu. Je pense que ça a marché. C'est un antisémite endurci, prêt à croire le pire. J'ai fait mouche avec l'histoire de la DST. Il est inquiet.

Mgr Le Moyne regarda la voiture s'éloigner jusqu'à ce qu'elle sorte de son champ de vision. Puis il prit le téléphone.

— Monseigneur Le Moyne à l'appareil. M. Pouliot est-il ici?

— Non, mon père. M. Pouliot est parti.

— Quand?

— Ma foi, il y a environ une demi-heure.

— Merci, madame.

Dans la salle à manger, de l'autre côté du couloir, il pouvait voir les autres terminer leur dessert. Son assiette était à sa place, intacte. Il se sentait tremblant, tendu, la bouche sèche. Il traversa le vestibule et s'assit sur un banc dans le couloir, à côté des toilettes.

Ce colonel a dit : « Je suis persuadé que quelqu'un en qui il a confiance le trahit. » Qui pourrait le livrer à ces juifs assassins ? Où est-il parti ? Où dormira-t-il ce soir ?

Au bout de quelques minutes, il se leva pour se rendre dans le petit bureau à l'avant de la maison. Sœur Gonzaga refermait un classeur.

— Je m'excuse de vous déranger, ma sœur, mais je dois passer un coup de fil.

— Il n'y a aucun problème, monseigneur. J'allais partir.

Après qu'elle eut quitté la pièce, il verrouilla la porte du bureau. Il ne tenait pas à ce que quelqu'un surprenne cette conversation. Il composa le numéro. Seigneur, faites qu'il soit là.

— Oui ?

La même voix, contrariée et autoritaire.

— C'est Maurice.

— Je vous écoute.

— Je dois contacter notre ami. Un groupe juif essaie de le tuer.

Il y eut un silence à l'autre bout de la ligne.

— Comment le savez-vous ?

— Je viens de voir le colonel de gendarmerie chargé de l'enquête. Il m'a dit que ces juifs semblaient connaître ses cachettes. Ce colonel pense que quelqu'un trahit notre ami.

— Pourquoi ferait-on une chose pareille ?

— Les juifs ont de l'argent.

— Que voulez-vous, alors ?

— Vous avez des relations, monsieur. Ces renseignements venaient de la DST. J'ai pensé que vous pourriez peut-être trouver le nom de l'informateur.

— Je vais vous donner un conseil, monseigneur. Vous avez fait des efforts admirables pour aider notre ami. Mais à mon avis, il a dépassé les bornes. Désormais, il va être recherché pour meurtre. Et celui-ci ne remonte pas à quarante ans, il a été commis il y a quelques jours. S'il se fait arrêter, il risque d'être jugé pour ce crime. Et dans l'état actuel de l'opinion publique, je doute que l'argument de la légitime défense soit pris en compte. Il est en fuite à présent, terrorisé. Je pense que vous feriez mieux de rester en dehors de tout ça. Priez pour lui. C'est tout ce que vous pouvez faire. Encore une chose, mon ami. N'oubliez pas que vous m'avez promis de ne jamais mentionner mon nom en relation avec ces événements.

— Bien sûr. Je comprends. Et je vous suis très reconnaissant de l'aide que vous nous avez apportée.

— Je vous ai dit de ne jamais mentionner cette aide, même à moi.

— Je m'excuse, monsieur.

— Rappelez-vous, monseigneur. Je vous crois homme de parole. Je compte sur votre discrétion.

— Vous n'avez pas à vous inquiéter.

— Dans ce cas, bonne nuit.

— Bonne nuit.

7

Un poids lourd se matérialisa à la hauteur de la petite Peugeot et faillit la percuter avant de la dépasser et de poursuivre sa course devant lui. Conduire de nuit était une folie. Il avait cru pouvoir pousser jusqu'à Montpellier, mais en voyant le panneau indiquant Béziers, il décida que ce serait Béziers. Les feux arrière du camion disparurent derrière un virage. Il ralentit en dessous des 90 km/h. Ne panique pas. Ne panique pas !

Est-ce possible de confesser tout ce qu'on a fait à un prêtre, tout en lui mentant quand même ? Si Dieu lui-même me demandait ce que j'ai ressenti à ce moment-là, devant le mur du cimetière de Dombey, ce que j'ai ressenti lorsque nous avons lancé la bombe dans la synagogue de la rue Daumier, lui mentirais-je, à lui aussi ? Lui dirais-je que je pensais faire mon devoir ? Mais qu'ai-je ressenti, au juste ? Qu'ai-je ressenti lorsque je suis entré dans la chambre 410 et que j'ai vu Le Grange leur maintenir la tête sous l'eau dans la baignoire ? Nous avions besoin de ces informations. Il disait que c'était le moyen de les obtenir. Que ressentais-je lorsque je recevais les ordres pour les trains et que je supervisais l'embarquement ? Ces visages qui me regardaient par les portes ouvertes des wagons de marchandises. Je détournais les yeux. Ils allaient mourir. J'avais peur d'eux. Ils me voyaient et ils savaient. Un jour, dans une autre vie, ils me montreraient du doigt. C'est lui, Brossard. Il est coupable. Il nous a tués.

Le panneau annonçait : BÉZIERS — 10 KM.

Ego te absolvo. Suis-je réellement absous, suis-je réellement purifié ? Me laissera-t-on entrer au paradis ? Je n'en sais rien. Ma vie entière n'est qu'une imposture. Je mens même lorsque je crois dire la vérité. Pourtant, je voudrais dire la vérité à quelqu'un. Quand je peux me confesser, je me sens mieux, je retrouve l'espoir. Peut-être pas pour ici-bas, mais pour l'autre monde. La confession est mon assurance. J'ai le cœur fragile. Je peux expirer demain. J'ai tant besoin de l'absolution. Si Dieu me pardonne, alors je me moque éperdument de ce monde. J'en ai fini avec lui. La preuve, c'est que j'ai mis ma vie en danger en allant à Caunes uniquement pour entendre ces mots de miséricorde. J'aurais pu me rendre directement à Aix. Je serais bien au chaud dans un lit, au lieu de conduire sur cette route, à moitié aveugle, les os endoloris, plus effrayé encore qu'au temps où j'étais un collabo insignifiant parmi des centaines de condamnés à mort par contumace. Maintenant, je suis une célébrité, mon nom est dans tous les journaux, des tas de gens ont vu cette photo de moi à vingt-six ans. Quelqu'un pourrait avoir une illumination dans la rue et s'écrier : « Eurêka ! C'est Brossard ! » Par-dessus le marché, il y a cette nouvelle juge, Livi, ils disent que c'est un nom italien, mais c'est faux. C'est Lévy. De toute manière, elle a donné mon dossier à la gendarmerie. Ce n'est pas comme la police. Darnand disait toujours de ne pas faire confiance aux gendarmes. Ils nous détestent, ils ont tourné le dos au Maréchal dès le premier jour.

Quand je pense qu'à l'époque j'aurais pu avoir de faux papiers d'émigration par le Vatican. Il y avait cet évêque yougoslave, au Saint-Siège, qui avait dit à Mgr Le Moyne que ce ne serait pas un problème. Mais j'ai dit non. Je ne voulais pas me retrouver comme Barbie, dans un trou perdu d'Amérique du Sud, enrôlé

74

dans la police secrète d'un petit dictateur mesquin, obligé de parler espagnol et de manger leur bouffe graisseuse de métèques. J'aime la France, c'est mon pays, ils ne me chasseront pas. Je mourrai en France.

Béziers. Personne au monde ne sait que je suis ici ce soir. Demain, Aix. Peut-être l'apprendront-ils. Peut-être enverront-ils un autre juif pour me tuer. Comment ont-ils su que je serais à Salon ? Qui leur a dit ? Aide-moi, Seigneur. Aide-moi !

PROCHAINE SORTIE : BÉZIERS.

8

César gravit les marches abruptes en quelques bonds, l'entraînant derrière lui et tirant sur la laisse pendant qu'elle cherchait ses clés. Lorsqu'elle pénétra dans l'appartement, sa femme de ménage, Mme Deferre, sortit de la cuisine et murmura :

— Votre visiteur est arrivé, madame.

Elle entra dans le salon, après lui avoir confié la laisse de son chien. Le jeune homme fit un bref et timide salut de la tête.

— Bonjour. Anne-Marie Livi, répondit-elle. Vous allez bien ? C'est très aimable à vous d'être venu.

Ils se serrèrent la main.

— Je m'excuse pour mon retard, lui dit-elle. J'ai dû accompagner mon fils à l'école, à Neuilly. Il y avait des problèmes sur la ligne de métro.

— Ne vous en faites pas, madame. Je viens d'arriver.

Il était plus jeune qu'elle ne se l'imaginait : grand, rouquin, avec une petite moustache un peu ridicule. Elle le trouva immédiatement sympathique.

— Professeur, merci beaucoup d'avoir accepté de me rencontrer. J'ai lu votre dossier sur Mgr Le Moyne. Je pense qu'il nous sera précieux. Vous prendrez du café ?

— Non merci.

Ils s'assirent face à face. Elle avait l'impression qu'elle pouvait être franche avec lui et passer outre aux préliminaires d'usage.

— Professeur Valentin, je suis tout à fait consciente que j'ai enfreint une règle en demandant à vous rencontrer. Mais, dites-moi, les membres de votre commission sont-ils tous historiens ?

— Oui. Tous les huit.

— Tous laïques ?

— Sauf un : Mgr Flandrin. Il est secrétaire du Comité épiscopal pour les relations avec le judaïsme. Il représente l'archevêque.

— Et quand pensez-vous clore votre enquête ?

— Tout le problème est là, madame. Elle pourrait durer un an, voire plus.

— Pourquoi aussi longtemps ?

— Nous sommes censés enquêter sur quarante ans de reports et de dissimulations. Nous recherchons tous les contacts que Brossard a pu avoir avec des membres du clergé. Même si nous sommes huit, cela demande du temps. Et c'est dommage, car, en attendant, le public est persuadé que l'Église est la seule à le dissimuler.

Elle ressentit un tressaillement d'excitation. Du calme. Il fait partie d'une commission ecclésiastique. Il travaille pour le cardinal, il est normal qu'il cherche des coupables ailleurs.

— Vous croyez donc que Brossard bénéficie d'autres protections ?

— J'en suis persuadé, madame. Des gens puissants.

— Au gouvernement ?

— Pour l'instant, ce ne sont que des suppositions. Je n'ai aucune preuve. Mais je dirais que la police, jusqu'au niveau du préfet, et l'Élysée semblent avoir été impliqués sous deux mandats différents.

— Et vos collègues de la commission ? Sont-ils d'accord avec vous ?

— Autant que je sache, oui. Nous avons chacun notre champ de recherches, mais, lors de notre première réunion, il était entendu entre nous qu'il devait avoir d'autres protecteurs. Malheureusement, notre commission a été appointée pour enquêter sur le rôle de l'Église, un point c'est tout. Mes collègues ne désirent pas chercher plus loin.

— Mais vous, si ?

— Non, je veux que ce soit vous qui vous en chargiez, madame. Je n'ai ni les moyens ni l'autorité pour agir.

— Puis-je être totalement honnête, professeur ? L'Église a intérêt à exonérer les ecclésiastiques qui ont aidé Brossard pendant toutes ces années. Et y a-t-il meilleur moyen pour cela que de rejeter la culpabilité sur l'autorité civile ?

Elle le vit se raidir sur sa chaise. Puis, à sa surprise, il sourit.

— Bien sûr. Mais sachez une chose, madame. Les membres de notre commission sont des historiens, pas des apologistes. Jamais des chercheurs de l'envergure d'un professeur Proulx ou d'un M. Multon n'auraient accepté cette mission s'ils avaient pensé qu'il s'agissait d'une simple mascarade. Par ailleurs, j'ai l'impression que le cardinal Delavigne est sincère lorsqu'il dit avoir demandé cette enquête parce qu'il pense qu'une faute exposée au grand jour vaut mieux qu'une déclaration d'innocence suspecte.

— Je suis d'accord avec vous. Que ce soit pendant ou après l'Occupation, le cardinal a toujours eu un comportement résolument antinazi et n'a jamais caché que ses sympathies allaient à la Résistance. Mais il demeure un homme d'Église et, comme vous le savez, le Vatican a un passif peu reluisant à cet égard. Je parle de son attitude avec les Allemands pendant la guerre et immédiatement après.

— Vous parlez des passeports que le Vatican a délivrés aux nazis après la guerre, leur permettant de se réfugier en Amérique du Sud ?

— Oui.

— C'est vrai. Mais rappelez-vous, l'Église n'est pas monolithique, en particulier en France. Chaque ordre religieux, jésuite, dominicain ou cistercien, a ses propres règles. Les abbés et les prieurs disposent d'une autonomie non négligeable au sein de leur monastère. Ils peuvent décider d'aider quelqu'un comme Brossard, le nourrir, le loger et lui donner de l'argent sans avoir à demander la permission de quiconque. En outre, il y a la tradition médiévale d'une autorité religieuse qui se place au-dessus de la loi des hommes. Cette forme d'arrogance a certainement permis à beaucoup de prêtres qui ont protégé Brossard de bafouer la loi en toute bonne conscience. Mais, pour l'instant, mes recherches n'ont fait apparaître aucune stratégie globale pour cacher Brossard. Aucun plan au sein du clergé français, et encore moins du Vatican.

— Pourtant il doit y avoir un plan. C'est ce qui m'intéresse.

Il se pencha sur sa chaise, l'air convaincu.

— C'est ce que vous devrez découvrir, madame. Réfléchissez. Comment Brossard a-t-il pu s'échapper de la rue des Saussaies, après la guerre, lorsqu'il a été arrêté et accusé de crimes de guerre ? Comment a-t-il pu vivre dans la clandestinité de la fin des années 40 à nos jours ? Le moins que l'on puisse dire, c'est que la police n'a pas fait preuve de zèle dans ses recherches. Et comment se fait-il que, dans les années 60, il soit parvenu à obtenir de faux papiers d'identité au nom de Pouliot, en se servant de l'adresse de l'archevêché de Lyon ?

— Vous êtes sérieux ?

— Oui. Et mieux encore, lorsqu'on a découvert que la fausse adresse était celle de l'archevêché, la préfecture a reçu l'ordre de Paris de laisser tomber l'affaire.

— Ce pourrait être la pression de l'Église.

— Peut-être. Mais il y a encore l'incroyable grâce présidentielle de 1971. Si *Le Monde* n'avait pas eu vent de l'affaire, Brossard serait un homme libre aujourd'hui, du menu fretin, oublié. Et il n'aurait peut-être jamais été accusé de crimes contre l'humanité. Certaines personnes ont de bonnes raisons de s'inquiéter, car c'est la première fois que des Français, et non des

Allemands, sont accusés de crimes contre l'humanité. Vous savez de qui je parle. La plainte concerne trois autres hommes qui ne sont jamais passés en jugement. Mais si Brossard est pris et passe devant un tribunal, leur procès ne pourra plus être reporté. Donc, en résumé, madame, je ne crois pas que l'Église seule aurait pu aider Brossard à échapper à la police et aux tribunaux pendant quarante ans.

— Mais c'est ce que croit le public.

— Oui. Et à moins que nous ne retrouvions Brossard, il continuera à le croire. Alors, cette simplification des événements, cette falsification de la vérité feront partie de l'histoire de France.

— Et cela serait-il si terrible, professeur ? Pour ceux qui ne sont pas historiens, je veux dire.

— L'étude de l'histoire n'est pas si différente de l'exercice de la loi, madame. Le but principal de l'une comme de l'autre est la découverte de la vérité, n'est-ce pas ?

— C'était idiot de ma part. Je m'excuse. Je suis d'accord avec vous, bien évidemment. Dire qu'il a fallu attendre 1989 pour qu'une petite juge comme moi découvre qu'on peut inculper les puissants. Mais une chose m'étonne. Si vous pensez que l'Église n'est pas la seule à protéger Brossard, pourquoi m'avoir envoyé le dossier de Le Moyne ?

— Parce que l'Église continue à le dissimuler. Il faudra donc le retrouver par ce biais. Et je vous l'ai envoyé à cause d'un détail précis, qui pourrait nous permettre de remonter la piste de Brossard. Les Chevaliers.

— Je vous demande pardon ?

— Dans certaines lettres écrites par Mgr Le Moyne, il est fait mention d'un groupe d'activistes catholiques d'extrême droite appelé les Chevaliers de Sainte-Marie. Et dans l'une d'elles, que j'ai annotée, Le Moyne dit que Brossard a été intronisé chevalier de cet ordre qui, depuis, l'aide financièrement.

— Je vois. Connaissez-vous le colonel Roux ?

— Non.

— C'est l'officier chargé de l'enquête. Je vais le contacter sur-le-champ.

— Bien.

Le téléphone sonna dans le couloir. Elle entendit Mme Deferre répondre. Aussitôt, le jeune homme se leva.

— Je dois y aller maintenant.

— Non, non, s'il vous plaît, dit-elle en se levant à son tour.

Il lui tendit la main.

— Je le dois, vraiment.

— Téléphone, madame, appela la femme de ménage.

— Un instant.

Elle le reconduisit à la porte. César bondit de la cuisine en remuant la queue. Le jeune homme flatta la tête du chien et ajouta :

— Les Chevaliers ne sont pas un groupe schismatique. Toutefois, ils sont liés aux prêtres traditionalistes qui ont récemment rompu avec Rome, dans le sillage de l'ancien archevêque de Dakar.

— César !

Elle dut agripper le chien par le collier pour l'empêcher de suivre le jeune homme.

— Dakar ? dit-elle. Mgr Lefebvre ?

Il hocha la tête.

— Au revoir, madame.

9

Le monastère était séparé du collège par une étroite ruelle. Les sans-abri – des alcooliques, pour la plupart – commençaient à se masser dans l'allée. Il était midi et les écoliers jouaient bruyamment dans la cour adjacente. On distribuait la soupe à ces clochards à 12 h 30. Blaise, le père hospitalier, déverrouillait lui-même la porte de service et supervisait la distribution exécutée par deux frères lais. Ce matin-là, les frères qui se trouvaient dans la cuisine ne prêtèrent pas attention aux coups de sonnette répétés, noyés dans le brouhaha provenant de la cour d'école. Mais le père Blaise les entendit en sortant de son bureau.

— Qui sonne ? Un des clochards ?

— Il y a un jeune homme qui rôde dans le coin depuis quelques jours, répondit frère André. Il a l'air dérangé. Je parie que c'est lui.

Le prêtre prit ses clés et traversa l'arrière-cuisine jusqu'à la porte de service. Une table avait été préparée, avec des bols, des cuillères et une panière pleine de pain. Il ouvrit la porte, s'attendant à devoir parlementer avec une épave. Au lieu de quoi, il découvrit un vieillard en gilet de laine vert et en pantalon de velours, un homme à l'air respectable, sans aucun rapport avec la faune qui faisait la queue pour la soupe. Voyant la porte ouverte, les clochards assis le long du mur de la ruelle firent mine de se lever.

— C'est vous qui avez sonné ? demanda le père Blaise.

— Oui, mon père. Bonjour. Le père Dominique est-il ici ?

— Hélas, le père Dominique nous a quittés.

— Je suis désolé. Que Dieu ait son âme. Vous êtes le nouveau père hospitalier ?

— Oui.

— Je m'appelle Pierre Pouliot. Je suis un ami de l'abbé. Est-il ici ?

Le père Blaise regarda le vieillard plus attentivement. Il eut un choc. Ce doit être lui. La photographie, dans mon bureau.

— L'abbé est juste à côté, au collège, dit-il. Il devrait revenir d'un instant à l'autre. Si vous voulez bien entrer pour l'attendre, je vais voir si je le trouve.

Entre-temps, les sans-abri s'étaient attroupés devant la porte. Deux frères sortirent de la cuisine, charriant une énorme marmite de fer-blanc remplie de soupe. Le père Blaise poussa la table de service pour laisser passer le vieillard. Tandis que les frères entreprenaient le service, le père Blaise le guida jusqu'à un parloir situé à l'avant de l'édifice.

— Ce sera peut-être un peu long, l'avertit-il. Cela ne vous ennuie pas trop ?

— J'ai tout mon temps, répondit l'autre en s'installant confortablement sur une chaise, à côté d'une fenêtre. Merci beaucoup, mon père.

Blaise se rendit directement à son bureau. Dans le tiroir où il rangeait sa correspondance, il retrouva la photographie qu'on lui avait remise une semaine plus tôt. Deux prêtres du bureau diocésain étaient passés un matin où l'abbé était absent. Ils étaient chargés de lui communiquer les instructions de l'évêque, qui les avait reçues du cardinal Delavigne. Ils lui avaient montré la photographie et demandé s'il connaissait cet homme. Il ne le connaissait pas.

— C'est pourtant un hôte régulier de cette maison. Nous le savons. Il vient ici depuis plusieurs années.

— Je suis nouveau. J'ai été transféré de Saint-Sauveur, il y a deux mois.

— Ce qui explique peut-être pourquoi, avait dit l'émissaire de l'évêque. Je vais vous laisser cette photo. Elle a été prise il y a seulement sept ans, vous devriez donc le reconnaître s'il se présente à cette porte. Nous la distribuons partout où il a été accueilli et où l'on est susceptible de l'avoir hébergé.

Il examina la photographie. Deux hommes âgés dans un jardin. L'un d'eux appartenait au clergé, l'autre était l'homme qui se trouvait en ce moment même au parloir.

— L'homme à droite est Pierre Brossard. Êtes-vous autorisés à lire les journaux et à regarder la télévision ici ?

— Non. L'abbé interdit la télévision et toute forme de presse. Mais à Saint-Sauveur, c'était différent. Je sais de qui il s'agit. Du milicien.

— Exactement. Savez-vous que l'on reproche à l'Église de lui avoir donné l'asile ?

— Oui. On nous l'a dit à Saint-Sauveur.

— Bien. Nous sommes ici parce que le cardinal Delavigne a donné des instructions très strictes. À compter de ce jour, tout établissement de l'Église devra renvoyer immédiatement Brossard lorsqu'il se présentera pour demander l'asile. Aucune exception ne sera tolérée. Nous savons que, dans de nombreux lieux où il a été hébergé, son identité n'était connue que de l'abbé et du père hospitalier. Cela pourrait-il être le cas ici ?

— Il y a des chances, oui. Dans notre ordre, l'hospitalier est la seule personne censée connaître le nom d'un visiteur. À part l'abbé, bien entendu.

— Dans ce cas, puisque l'abbé est absent aujourd'hui, nous vous laissons le soin de lui exposer l'affaire. S'il a des questions, demandez-lui de s'adresser directement au cardinal.

Ce même soir, lorsque l'abbé revint, Blaise lui montra la photographie.

— C'est Maurice Le Moyne, dit l'abbé.

— Pardon, qui ça ?

— Le prêtre avec lui, c'est Mgr Le Moyne. C'est l'un des principaux protecteurs de Pierre Brossard. Toute cette affaire me dégoûte.

— Je suis désolé, mon père, mais je ne suis pas sûr de bien comprendre.

— Pierre est l'un des nôtres. C'est terrible de l'abandonner dans un moment pareil. Delavigne est un gauchiste, bien évidemment. Il a peur de la presse et du lobby juif. Il n'a pas le cran de résister.

— Mais Brossard est un criminel de guerre, non ? Cela ne fait aucun doute ?

L'abbé fut pris d'une quinte de toux, legs de la malaria qu'il avait contractée au cours de ses années en Afrique du Sud. Une fois sa toux calmée, il posa sa main sur l'épaule de Blaise et lui dit avec beaucoup de douceur :

— Mon père, je ne vous connais pas très bien, mais je suis sûr que vous avez le cœur à la bonne place. Je suis un vieil homme maintenant, et j'ai du mal à renoncer aux choses auxquelles j'ai toujours cru. Et notamment à l'idée que nous avons perdu la guerre en 1945, et non en 1940.

— Vous avez bien dit 1945, père abbé ?

— Oui. Je vais vous expliquer. En 1940, avec le maréchal Pétain, la France a eu l'occasion de corriger les erreurs, la faiblesse et l'égoïsme de la IIIᵉ République, ce régime qui a précipité notre défaite face aux Allemands. Bien sûr, c'était une triste époque. Je ne le nie pas. Une partie du pays était occupée, mais n'oubliez pas qu'il y avait une zone libre importante, sous l'autorité du gouvernement de Vichy, du Maréchal qui nous donnait l'espoir qu'une collaboration nouvelle était possible entre la France et l'Allemagne. Sous le Maréchal, nous avons rompu avec le matérialisme égoïste et avec ces Parlements démocratiques qui prêchaient une fausse égalité, pour revenir aux valeurs catholiques dans lesquelles nous avions été élevés : la famille, la nation, l'Église. Mais lorsque les Allemands ont perdu la guerre, tout a été fini. Les armées communistes de Staline ont déferlé sur l'Europe. Les ennemis de la religion sont revenus en force. Je pense que Pierre Brossard n'était pas très différent de moi et de beaucoup d'autres. On lui avait inculqué les mêmes valeurs qu'à nous. Il s'est battu pour elles, comme la plupart des Français. Il a été loyal, non pas à de Gaulle, qui nous a abandonnés en 1940 pour se réfugier chez les Anglais, à Londres, mais au Maréchal qui, lui, est resté pour nous rassembler. Malheureusement, Brossard a fini par rejoindre la Milice, qui, je l'admets, s'est montrée cruelle sur la fin. Mais je crois aussi au pardon, mon père. Je crois à la contrition. Je crois que Pierre Brossard a été induit en erreur, mais qu'il s'est repenti de ses péchés. Je crois qu'on le persécute, comme on en a persécuté des centaines d'autres, parce qu'il s'est battu pour les valeurs auxquelles il croyait, des valeurs frappées d'anathème par les instigateurs communistes de la Résistance. Je trouve donc honteux qu'à l'heure où il en a le plus besoin les dignitaires de l'Église ne se montrent pas plus miséricordieux et envoient ces prêtres pour nous ordonner de le renvoyer.

— Mais, père abbé, les croyances de la Milice étaient celles des nazis. Et les nazis n'étaient certainement pas catholiques. En outre, Brossard n'attendait pas les ordres des Allemands. Il les devançait. D'après ce que j'ai lu, il est clair qu'il a fait assassiner ces quatorze juifs à Dombey. Il a volé des propriétés juives et commis bien d'autres délits. Si ce que j'ai appris au séminaire est toujours d'actualité, l'Église est censée protéger ceux qui sont persécutés, et non aider des criminels avérés à échapper à la justice.

— L'Église ne relève pas de la loi des hommes, mais de la loi de Dieu, répondit l'abbé. Les jugements rendus par les États ne nous dispensent pas d'aider les infortunés qui se présentent à notre porte, ne serait-ce que par charité chrétienne.

— Cela signifie-t-il que si Brossard se présente ici, je devrai lui ouvrir ?

— Il ne viendra pas. Il nous rend visite très rarement. Mais, s'il vient, oui, faites-le entrer. Je lui parlerai. Et après lui avoir parlé, j'agirai selon ma conscience.

Et voilà qu'une semaine plus tard, Brossard était assis dans le parloir. Blaise remit la photographie à sa place. Il sortit du monastère et fit les quelques pas qui le séparaient du portail du collège. L'abbé était dans son bureau, où il déjeunait d'un bol de soupe, la même qui était servie aux clochards dans l'allée.

— Brossard ? Vous êtes sûr que c'est Brossard ?

— Je ne peux le certifier, père abbé. Mais il ressemble à l'homme de la photo. Il dit s'appeler Pouliot.

— C'est lui. Où se trouve-t-il à présent ?

— Je l'ai conduit au parloir. Que dois-je faire ? Voulez-vous que je lui donne une chambre ?

L'abbé s'extirpa de son siège.

— En a-t-il demandé une ?

— Non, mon père.

— Bien. Il faut que je lui parle. Je vous tiendrai au courant.

Me tenir au courant de quoi ? Va-t-il le renvoyer, finalement ? J'en doute. En quoi consiste la règle d'obéissance ? Obéir au supérieur de l'ordre ? Oui, bien sûr. Mais n'y a-t-il pas une règle qui prévaut, l'obéissance au cardinal, le président du Conseil des évêques ? Si l'abbé accepte d'héberger cet infâme nazi, n'est-ce pas mon devoir de le signaler ?

10

Aussi loin qu'il s'en souvienne, l'âge lui avait toujours inspiré du respect. Cela remontait à son père, Henri Brossard, un vieux militaire, éternel sergent instructeur qui aboyait ses ordres, toujours une règle dans le dos, comme s'il défilait sur le champ de manœuvres. En son temps, son père avait lui aussi admiré les grands hommes d'une autre génération, notamment le Maréchal. Son père avait servi sous les ordres de Pétain pendant la Première Guerre mondiale. Le Maréchal incarnait la France. La religion méritait également le respect, car elle était ancienne et toute-puissante. Elle requérait l'obéissance. Le pape était le Saint Père. Mais depuis qu'il était vieux lui-même, il ne respectait plus autant ses aînés. Il guettait leurs signes de faiblesse : le pas chancelant dans l'escalier, la voix qui hésitait sur un nom de famille oublié, le regard faussement innocent lorsque les oreilles défaillantes n'avaient pas entendu. Désormais, il mesurait leur fragilité à l'aune des siennes. Et il se décrétait vainqueur.

Il connaissait Dom André Vergnes depuis vingt ans. Au début, il était intimidé par les manières et la voix de l'abbé : la diction des grandes écoles parisiennes, l'accent qu'il trouvait snob et qu'il redoutait. Mais Dom André demeurait un ecclésiastique et, face à un ecclésiastique, il reconnaissait immédiatement celui qui était susceptible de le croire et trouvait les mots pour séduire son interlocuteur. Il devinait les opinions politiques d'un prêtre à un rien, un hochement de tête ou un sourire. L'hésitation de l'ami des juifs dès qu'il en était question. Le regard qui se faisait plus attentif lorsqu'il mentionnait la Milice. Il savait tout de suite si un prêtre ou un moine avait lu les journaux et suivi des affaires comparables à la sienne. Il savait quand un simple curé le logerait pour la nuit au nom de la charité chrétienne, sans se soucier de qui il était et de ce qu'il avait fait. Il savait reconnaître ceux à qui il pouvait raconter une partie de son histoire et qui, même si son passé leur répugnait et s'ils condamnaient ses actions, se laisseraient convaincre par sa repentance et le protégeraient de la loi des hommes, arguant du secret de la confession. Il savait reconnaître ceux à qui il pouvait dire toute la vérité, ou presque, et qui compatissaient même s'ils n'étaient pas certains de son innocence, car eux-mêmes réprouvaient cette France gauchiste et sans Dieu. Enfin, il y avait ceux qu'il appelait les vrais croyants : un petit groupe, qui rétrécissait comme une peau de chagrin, ceux qui lui étaient restés fidèles lorsque le vent avait tourné, qui considéraient les longues années passées à le protéger comme leur devoir, la preuve qu'ils avaient fait le bon choix autrefois, en soutenant Vichy.

Dom André avait soixante-dix-neuf ans, presque dix de plus que lui. Plus l'heure du Jugement dernier se rapproche, plus les hommes deviennent têtus et obstinés, et moins ils se montrent enclins à reconnaître leurs erreurs. Il avait donc peu de raisons de craindre que Dom André s'émeuve de l'ordre du cardinal Delavigne. Mais on ne savait jamais. Aussi se leva-t-il pour saluer le prieur lorsque ce dernier pénétra dans le parloir, tout en gardant une déférence prudente, le temps de jauger la situation.

— Ah, Pierre. Vous allez bien ?

Une poignée de main. Cela ne signifiait rien.

— Je ne peux pas me plaindre. Et vous-même, père abbé ? Comment vous portez-vous ?

L'abbé s'était assis sur une chaise près de la table du parloir, très raide, les coudes posés, la tête légèrement baissée. Des vertiges, peut-être ?

— Je vais bien, dit l'abbé. J'ai appris que vous aviez beaucoup voyagé récemment.

Que voulait-il dire par là ?

— Oui. Comme d'habitude. On n'est jamais trop prudent, surtout en ce moment.

— Vous étiez à Salon, dit l'abbé. Je le sais, car j'ai eu un appel de mon vieil ami Dom Vladimir avant-hier soir. Il m'a demandé si je vous avais vu ou si j'avais eu de vos nouvelles.

— Ah bon ? Et pourquoi, père abbé ?

— Sans doute parce que vous venez souvent nous voir après avoir passé quelques semaines à Saint-Cros.

— C'est vrai.

— Il paraissait très soucieux. Il m'a averti que vous risquiez d'avoir de gros ennuis.

— Des ennuis, père abbé ? Voilà qui n'est guère nouveau.

— J'ai peur que si, Pierre. Apparemment, le lendemain de votre départ de Saint-Cros, Dom Vladimir a reçu une visite de la police. On a retrouvé une voiture et un cadavre dans un ravin, à quelques kilomètres de là. Comme vous le savez, cette route ne mène qu'à l'abbaye et à quelques fermes. Ils voulaient donc savoir si Dom Vladimir connaissait le mort. Il n'y avait aucun papier sur le corps, mais on l'a identifié grâce à l'agence de location de la voiture, à Marseille. Le conducteur était un Canadien du nom de Tanenbaum. Dom Vladimir n'avait jamais entendu parler de lui.

— Mais pourquoi aurait-il dû savoir quoi que ce soit ? C'est certainement un accident on ne peut plus banal.

Il vit l'abbé hésiter. C'était bien trouvé. Exactement ce que je dirais si je ne savais rien.

— Pas tout à fait. L'homme a été tué d'une balle dans la poitrine. Ce pourrait être un simple meurtre crapuleux. Mais Dom Vladimir s'est souvenu que le crime avait eu lieu quelques heures avant que vous l'informiez subitement que vous désiriez quitter Saint-Cros le soir même.

— Une pure coïncidence, père abbé. En ce moment, je ne peux pas me permettre de demeurer trop longtemps au même endroit. Mais une chose me sidère. Comment Dom Vladimir a-t-il pu penser un seul instant que j'avais un lien avec la mort de cet homme?

— Je ne peux pas parler à sa place, Pierre. Mais il m'a fait remarquer que Tanenbaum était un nom juif.

— Tanenbaum? Comment ça, Tanenbaum? Ah oui, l'homme qui a été tué.

— Pierre, nous savons tous que les juifs cherchent à se venger. Écoutez, je ne vous accuse pas d'avoir tué cet homme. Mais comme Dom Vladimir l'a souligné, vous auriez pu être contraint de vous défendre.

— Mon père, j'ai le plus grand respect pour Dom Vladimir. Je l'admire profondément. Mais si je puis me permettre, il a peut-être lu trop de romans policiers.

Il ne s'était pas départi de son sourire pendant sa tirade. Et, en même temps, il regardait l'abbé droit dans les yeux. Il me croira. C'est du grand-guignol, il ne peut pas imaginer qu'une histoire pareille soit vraie.

Mais l'abbé eut une réaction inquiétante. Il se leva et s'approcha de la fenêtre pour regarder le collège voisin. La pause du déjeuner se terminait. Une sonnerie aiguë retentit pour rappeler les élèves en classe. L'abbé ne se retourna pas. Sa voix était calme et mesurée.

— Pierre, nous traversons tous une période difficile. Vous êtes au courant de la commission du cardinal?

— Oui, père abbé.

— Mais savez-vous que notre évêque a envoyé deux prêtres munis d'une photographie de vous et des instructions nous recommandant de ne pas vous recevoir si vous vous présentiez chez nous?

— Non, je l'ignorais, père abbé. Sinon, je ne serais pas venu. Je ne veux pas vous placer dans une situation embarrassante.

— Attendez, ce n'est pas ce que je voulais dire. Sans cet appel de Dom Vladimir, j'aurais ignoré l'ordre du cardinal. Je suis un religieux indépendant et je n'ai pas d'ordre à recevoir de l'archevêché. Mais à présent, je ne sais plus que penser. Peut-être avez-vous préféré ne pas impliquer Dom Vladimir dans cette affaire. Comme vous avez voulu m'épargner. Mais je pense que, pour notre bien à tous, je dois savoir la vérité. Je vous promets que rien ne sortira de cette pièce. Je vous en donne ma parole.

— Et je vous donne la mienne, mon père. Je n'ai jamais entendu parler de ce M. Tanenbaum. Je n'ai jamais posé les yeux sur lui.

— Dans ce cas, tant mieux, dit l'abbé, qui regardait toujours par la fenêtre.

Il ne me croit pas.

— Pierre, cela ne me plaît pas, ajouta-t-il, mais je dois penser au collège et aux parents. C'est notre devoir d'éviter tout scandale dans un moment aussi critique. Vous le savez, je vous ai toujours soutenu et j'aimerais pouvoir vous recevoir comme autrefois. Mais je suis inquiet. Certains de nos moines ne partagent peut-être pas mes vues. Et avec toute la publicité dont vous avez fait l'objet, je crains qu'ils ne devinent votre identité. Je ne me sens donc pas le droit de vous offrir un lit, même pour cette nuit. Toutefois, je serais heureux de vous aider financièrement pendant la durée de votre séjour dans la région, si vous trouvez une auberge ou un autre lieu.

L'abbé se tourna pour lui faire face. Enfin, c'était dit. On savait que le vent avait tourné lorsqu'il devenait dangereux de révéler que vous saviez qu'ils étaient passés à l'ennemi.

Il se leva aussitôt.

— Père abbé, merci. Que Dieu vous bénisse. Je ne vous demanderai qu'une faveur. Priez pour moi. J'ai besoin de vos prières maintenant. Plus que jamais.

— Bien sûr, comptez sur moi, dit l'abbé. Et pour l'argent?

— Non, ça va aller.

— Vous pensez pouvoir trouver un endroit où séjourner à Aix?

— Je vais sans doute continuer ma route. S'il vous plaît, mon père, si vous parlez à Dom Vladimir, rassurez-le au sujet de la mort de cet homme, je vous en serais reconnaissant.

— Bien sûr, je le ferai.

Ils sortirent du parloir et suivirent le couloir jusqu'à la porte principale. En passant devant le petit bureau du père hospitalier, il vit le père Blaise lever la tête.

Il sait qui je suis.

L'abbé ouvrit la lourde porte d'entrée et, comme souvent par le passé, l'étreignit brièvement pour lui souhaiter bon voyage.

— Soyez prudent, Pierre.

Le baiser de Judas.

Dom André regarda Pierre Brossard s'éloigner sur l'avenue Henri-Martin, le pas rapide, la tête très droite. Celui-ci tourna au coin de la rue et disparut. Le reverrai-je jamais? Sera-t-il finalement capturé, exposé à la lumière du jour, livré aux caméras, aux journalistes, aux avocats, aux juges, aux éditoriaux du *Monde*? Ou restera-t-il dans l'ombre jusqu'à l'heure de sa mort?

Ces phrases d'une conversation imaginaire lui traversèrent l'esprit. Puis, comme il le craignait, elles s'évanouirent et il ne ressentit plus que la honte d'avoir renvoyé Brossard, non par principe mais par lâcheté. Jusque-là, donner asile à un homme qui avait commis des actes de violence dans sa jeunesse et, selon toute probabilité, tué ses ennemis ne le gênait pas. Parce que ses crimes remontaient à la guerre, à l'Occupation, à une époque oubliée de beaucoup et inconnue des jeunes. Même à lui, qui les avait vécues, ces années paraissaient pâles et indistinctes aujourd'hui ; comme un livre lu il y a très longtemps et dont on se souvient à peine.

Lorsque Vladimir m'a appelé de Salon avant-hier soir, j'ai pensé à tout ce que nous avions fait : aux prières implorant l'aide de Dieu, aux lettres écrites pour appuyer les requêtes de Maurice Le Moyne, à l'argent pris sur les fonds de notre communauté pour aider Brossard pendant les premières années de sa vie clandestine. Et si, en agissant ainsi, nous ne faisions pas œuvre de charité chrétienne, si nous protégions simplement quelqu'un qui avait des idées proches des nôtres pendant l'Occupation ? Pourtant, je le croyais lorsque je m'agenouillais à ses côtés dans notre chapelle et que je priais pour son salut. Je me sentais tout gonflé de ma propre vertu, j'avais l'impression d'aider un pécheur à retrouver Dieu, d'être un mentor pour cet homme devenu un fervent catholique, cet homme victime de la folie qui s'était abattue sur nous à la fin de la guerre, lorsque les Français, pleins de haine, avaient voulu se purger de leur culpabilité en s'acharnant sur quelques boucs émissaires. Je faisais confiance au Maréchal, ce vieux, ce magnifique soldat, renversé par un de Gaulle égoïste et orgueilleux, alors qu'il l'avait traité comme un fils. J'étais amer, et cette amertume, je m'en rends compte à présent, était le moteur de toutes mes actions, notre moteur à tous, peut-être, durant ces années où nous avons caché Brossard.

Il y a une demi-heure, j'ai regardé par la fenêtre pendant que, dans mon dos, résonnait cette voix familière, si pieuse et sincère. Et, soudain, pour la première fois, j'ai su qu'il mentait. Nous avons été ses dupes ! C'est un scélérat. Je le sais. Il n'a fait que mentir. S'il avait été honnête, s'il m'avait avoué avoir tué ce juif en état de légitime défense, j'en aurais été malade, j'aurais eu peur de l'héberger sous mon toit, mais je l'aurais fait.

Vraiment ?

Je n'en sais rien. Je n'ai plus foi en moi. Je traite Brossard de scélérat, mais n'en suis-je pas un moi-même ? Qui connaît les mobiles cachés de nos actions ? Qui peut dire les raisons qui animent nos frères qui prient la nuit pour que Dieu pardonne nos péchés, tout en se flattant d'être meilleurs que les autres, de ne pas mal agir, de ne pas forniquer, de ne pas commettre de crimes, de ne pas mentir au quotidien ? Il est facile de le croire lorsqu'on n'a jamais été mis à l'épreuve. Comme j'ai été mis à l'épreuve par Brossard aujourd'hui. Soyons honnête. S'il m'avait avoué la vérité, ne l'aurais-je pas renvoyé quand même ?

Bien sûr que oui. Comment puis-je prétendre le contraire ? Je ne veux plus rien avoir à faire avec lui. Il mérite d'être arrêté.

Dom André referma la porte d'entrée et repartit par le couloir. Le père Blaise sortit de son bureau, le visage curieux.

— Alors, père abbé, notre ami va-t-il revenir ?

— Non. Je l'ai renvoyé.

Dom André continua, gravissant les marches qui menaient à la solitude de son bureau. Il composa le numéro de Saint-Cros.

— Vladimir. Il est venu ce matin. Je lui ai répété ce que tu m'as dit. Il prétend n'avoir jamais entendu parler de cet homme. Il voulait que je te rassure. Mais je dois t'avouer que je ne l'ai pas cru.

— Où est-il à présent ?

— Je l'ai renvoyé.

— Tu as bien fait, André. Tu n'es pas au courant des derniers développements ? D'abord les journaux ont parlé d'un touriste étranger, dévalisé et assassiné. Mais, aujourd'hui, il y avait du nouveau dans *Nice-Matin*. Apparemment, les autorités canadiennes ont vérifié le permis de conduire de la victime et ont découvert qu'il était faux. Hier, la police est revenue me voir pour me demander si j'attendais un visiteur portant un autre nom. J'ai dit que non, bien entendu. Mais je suis comme toi, André. J'ai un mauvais pressentiment. Comme je te l'ai dit la dernière fois, le permis était au nom de Tanenbaum. C'est un nom juif.

— Attends ! Si le permis était faux, peut-être que le nom aussi.

— C'est vrai. Mais Pierre ne pouvait pas le savoir. Il a cru que l'homme était un juif qui voulait le tuer. Qu'aurait fait un ancien milicien dans cette situation, à ton avis ? Il l'aurait tué. Il aurait pris son argent. Caché ses papiers. Maquillé la scène en meurtre crapuleux.

— Oh mon Dieu ! Le pire est que c'est possible.

— Plus que possible. André, j'ai changé d'avis. Je pense qu'il faut avertir l'archevêché que Brossard a séjourné à Saint-Cros et qu'il est venu te demander l'asile aujourd'hui.

— Non, on ne peut pas faire ça.

— Pourquoi ?

— Imagine que le cardinal appelle la police. Elle viendra nous voir. La presse aura vent de l'histoire. Nos communautés se retrouveront clouées au pilori et accusées de complicité.

Il y eut un silence à l'autre bout du fil.

— Vladimir ?

— André, je ne pense pas que le cardinal appellera la police. Il a dit publiquement que le rôle de la commission était d'enquêter sur l'implication de l'Église, pas de traquer Brossard à la place de la police.

— Mais il se sentira peut-être obligé de le faire.

— Alors ce sera son problème, pas le nôtre.

— Vladimir, si la police trouve Pierre, s'il croupit en prison pour le restant de ses jours, nous en serons responsables. Veux-tu vraiment avoir ça sur la conscience ?

Un autre silence.

— Vladimir ?

— Un homme a été assassiné, André, et nous avons peut-être aidé son meurtrier à s'échapper. S'il tue encore d'ici une semaine, voulons-nous vraiment avoir ça sur la conscience ? Écoute, je te laisserai en dehors de tout ça, si tu le souhaites. Mais je dois en parler à Delavigne.

— Excuse-moi. Tu as raison. Il est temps de dire la vérité.

11

À son arrivée par l'avion de Paris, T. prit une chambre au Novotel, à côté de l'aéroport. Le lendemain matin, il partit bien avant l'heure de pointe. Brossard était censé arriver le 5 mai. À 8 h 30, T. gara sa voiture de location dans la banlieue aixoise, au coin de l'avenue Henri-Martin et de l'avenue Paul-Valéry, à une rue du collège Saint-Christophe et du prieuré. Des parents déposaient des jeunes garçons harnachés de cartables. À 8 h 45, lorsque la sonnerie du collège retentit, T. sortit de sa voiture et s'approcha du portail de l'établissement, tandis que les derniers retardataires le dépassaient en courant pour arriver avant l'arrêt de la sonnerie.

Il n'y avait aucune voiture dans la cour. Il traversa la ruelle pour étudier la façade du prieuré à travers les grilles. Trois voitures étaient garées devant l'entrée principale. Pas de Peugeot blanche. Il fit quelques dizaines de mètres et constata qu'il y avait des panneaux d'interdiction de stationner aussi bien dans l'avenue Henri-Martin que dans l'avenue Paul-Valéry. Peut-être les moines avaient-ils un garage derrière le prieuré ? T. alla voir. Mais la ruelle qui reliait l'entrée de service à l'avenue était trop étroite pour laisser passer une voiture. C'était un cul-de-sac.

Aucune Peugeot blanche en vue. T. reprit l'avenue Henri-Martin et la suivit jusqu'à une petite place. Le café au coin s'appelait La Mascotte. Il regarda la plaque. PLACE DES TANNEURS. C'était bien le nom qui figurait sur le papier qu'on lui avait remis. Le vieux n'allait donc pas en ville l'après-midi. Il traînait dans ce café. Voilà qui allait lui faciliter le travail.

Attendre faisait partie du boulot. Rester assis heure après heure dans une voiture et garder les yeux bien ouverts. Il passa des cassettes de rock américain. Il trouvait le rock français sans intérêt. Pochon avait dit aux juifs que la voiture de location devait être assez grosse. Elle passerait pour une limousine, et si T. portait un costume sombre et une casquette de chauffeur, les gens ne s'étonneraient pas de le voir assis dans sa voiture tout l'après-midi. Cela faisait partie du boulot.

La sonnerie de l'école retentissait toutes les quarante minutes, à la fin de chaque cours. Peu après 11 heures, il vit arriver quatre clochards titubants. Ils s'arrêtèrent, se rincèrent le gosier au goulot d'une bouteille de vin rouge, puis reprirent leur chemin. En arrivant à la hauteur de sa voiture, ils bredouillèrent quelques mots d'ivrogne sur les riches. L'un d'eux donna un coup de pied dans le pneu avant. T. descendit la vitre, leur sourit et dit :

— Qu'est-ce que j'y peux ? Il faut bien bosser.

Il avait trouvé la formule magique. Un des clochards essuya le goulot de la bouteille pour lui en offrir une lampée. T. fit semblant de boire, avant de la lui rendre. Puis ils s'engagèrent d'un pas chancelant dans la ruelle. Il les vit s'asseoir sur les pavés, près de la porte de service du prieuré. À midi, huit autres clochards, dont deux femmes, rejoignirent les premiers. Il les regarda arriver les uns après les autres. Puis, par acquit de conscience, il sortit de la voiture, alluma une cigarette et emprunta la ruelle pour repasser devant la porte de service du prieuré. Elle était ouverte à présent. Deux moines se tenaient derrière une table placée en travers de l'entrée et servaient de la soupe aux clochards en train de faire la queue. Ils avaient l'air d'habitués. Ils se connaissaient. Aucune trace de Peugeot blanche. T. retourna à sa voiture.

À 13 heures, T. se rendit au café La Mascotte où il commanda un sandwich. Il s'installa de manière à pouvoir surveiller l'entrée du prieuré. Il voyait aussi le début de la ruelle. Toujours rien.

À 16 heures, les fesses ankylosées, il sortit encore une fois de la voiture pour se rendre au café. Il demanda le téléphone, appela Janine, tomba sur son répondeur et laissa un message disant que son père allait un peu mieux et qu'il rappellerait plus tard. Il précisa qu'il pleuvait des cordes, ici, à Bayeux.

L'après-midi touchait à sa fin. Il arpenta plusieurs fois la portion d'avenue entre le prieuré et la place. À présent, il était sûr que ce ne serait pas pour aujourd'hui. Il attendit pourtant que la plupart des lumières se soient éteintes dans le prieuré avant de rentrer à son hôtel. Il mangea dans un McDonald's, régla son réveil sur 7 heures et s'efforça de dormir. Ça ne se passait pas comme prévu. Ils avaient dit que Brossard arriverait à Aix le 5. Et s'il ne se pointe ni demain, ni les jours suivants ? Le 9, c'est bientôt. Et l'horoscope avait dit : « Le 9, vous pourriez être obligé de faire une chose qui vous causerait beaucoup de tort. » Il savait que c'était un tissu de mensonges, inventé par une petite secrétaire ou un logiciel. Mais il avait peur des horoscopes. Ils s'étaient déjà révélés exacts.

Le lendemain matin, il revint se poster avenue Henri-Martin à 8 h 30. Il regarda les élèves entrer à 8 h 45, puis inspecta les deux cours. Toujours pas de Peugeot blanche. À 11 heures, les premiers clochards s'étaient déjà installés dans la ruelle. La deuxième journée de guet était toujours plus ennuyeuse. En plus, dans ce genre de banlieue, rien ne ressemblait tant à un jour qu'un autre jour. On voyait les mêmes gens dans les rues. À midi, la sonnerie du collège retentit et les garçons se répandirent dans la cour en criant. Deux moines sortirent du prieuré avec un grand bol de soupe et une corbeille de pain. Ils se dirigèrent vers l'établissement scolaire, de l'autre côté de l'impasse. T. avait envie de se soulager. Il se dirigea vers le fond de la ruelle au moment où les moines ouvraient la porte de service pour la distribution. Alors qu'il remontait la braguette de son pantalon, il remarqua que l'un des moines poussait la table qui barrait l'entrée, pour laisser entrer dans la cuisine un vieux clochard aux cheveux blancs, vêtu d'un gilet vert. Les moines remirent la table en place et reprirent le service. T. les observa pendant dix minutes. Le vieillard ne ressortait pas. Il n'avait pas vu son visage.

T. retourna à sa voiture. Un moine sortit alors du prieuré et s'engouffra dans l'école. Quelques minutes plus tard, il en ressortit en compagnie d'un second moine. Grand, la barbe grise, il portait au cou un crucifix au bout d'une chaîne. Le père supérieur ? Ils regagnèrent le prieuré. Pourquoi avaient-ils laissé entrer ce vieillard dans la cuisine ? T. prit les deux photographies et les étudia une fois de plus. Il glissa son revolver dans son étui d'épaule. Il n'avait pas de plan. Pas encore. Que le vieux ressorte par une porte ou par l'autre, il faudrait qu'il retourne à pied jusqu'à l'endroit où il avait laissé sa voiture. Ou jusqu'à une station de taxis. La plus proche se trouvait place des Tanneurs. T. ne croyait pas à l'improvisation, mais il fallait parfois savoir s'adapter. En général, une fois qu'il avait repéré son homme, il savait être patient. Mais s'agissait-il bien de son homme ?

Dix minutes plus tard, la porte principale du prieuré s'ouvrit sur l'homme aux cheveux blancs. Derrière lui, le grand barbu apparut. Il le prit dans ses bras puis le regarda traverser la cour et ouvrir le portail qui donnait sur l'avenue Henri-Martin. T. passa une vitesse. Le vieux se dirigeait vers la place des Tanneurs. T. le dépassa lentement, le scrutant dans le rétroviseur. Brossard ? Il n'en était toujours pas sûr.

12

« Sois prudent, Pierre », m'a-t-il dit en me donnant le baiser de Judas et en me serrant dans ses bras sur les marches du prieuré. Saint Christophe, le saint patron des voyageurs. Est-il conscient de l'ironie de la situation? Me refuser l'asile devant la porte de Saint-Christophe. Il m'offre de l'argent, mais pas son toit. Je sais qu'il me regarde m'éloigner pour voir comment je prends cette trahison. Ah! ils sont beaux mes amis. J'en pleurerais. Allez, arrête de te lamenter sur ton sort. Marque le pas, comme un soldat. Gauche. Droite. Gauche, droite! Quand c'est fini, c'est fini. Merci, Dom André.

Et merci à Dom Vladimir, qui a téléphoné avant mon arrivée pour s'assurer qu'on me claquerait bien la porte au nez. Appellera t il Villefranche? Il en serait capable. Une fois que la chance a tourné, la bille tombe toujours sur les cases perdantes. Que faire? Partir directement pour Villefranche?

Il se dirigeait vers la place des Tanneurs. Son vieux café, La Mascotte, se trouvait juste au coin. Sa voiture l'attendait sur le parking municipal. Il pourrait téléphoner de La Mascotte. Et avaler quelque chose. Il se souvint y avoir mangé une excellente salade niçoise. Il avait faim. Il avait prévu d'arriver au prieuré à l'heure du déjeuner, pour se présenter à la porte de service au moment où le père hospitalier superviserait la distribution de soupe. D'habitude, Dominique lui demandait s'il avait déjà déjeuné. Mais Dominique était mort, lui avait dit le nouveau.

Une voiture, une grosse limousine Renault, le dépassa lentement. Il jeta un coup d'œil sur la banquette arrière. Pas de passager. Elle avançait au pas, à 20 km/h, comme si le chauffeur cherchait sa route. Sauf que le chauffeur ne regardait pas les numéros, mais scrutait son rétroviseur. La bille d'acier de la roulette s'est encore arrêtée sur une mauvaise case. C'est moi qu'il regarde !

Si vous remarquez que vous êtes suivi, surtout n'en laissez rien paraître. Il continua à la même allure, ignorant la Renault qui avait accéléré pour arriver sur la place avant lui. Il y avait du monde à La Mascotte. Toutes les tables étaient prises. Brossard alla au bar, commanda une bière pression et s'assit sur un tabouret, face à la place. La Renault fit un tour et revint lentement vers le café. Le chauffeur ne pouvait pas le voir. La voiture accomplit un second tour de la place, avant d'aller se garer deux rues plus loin. Le chauffeur en sortit, alluma une cigarette et se dirigea lentement vers La Mascotte. Lorsqu'il vit le vieil homme assis au comptoir, il rebroussa chemin.

Sans perdre une minute, Brossard paya sa consommation, passa devant les toilettes et traversa la cuisine. Personne ne lui prêta attention. Il ressortit dans une petite rue derrière le café. Il ignorait où il était. Il déboucha dans la rue Renaud, une grande artère. Il trouva une station de taxis un peu plus loin et se fit déposer au parking municipal de l'avenue Goncourt, où il avait garé sa petite Peugeot. Il le traversa d'un pas rapide et s'installa hors d'haleine au volant. Il prit son pouls, ferma les yeux et s'efforça de faire le vide dans son esprit. C'était un vieux truc, appris il y avait bien longtemps, à l'époque où il était le chasseur et non le chassé, une forme de méditation dépourvue de sens, la répétition inlassable des premières syllabes qui lui venaient à l'esprit. Aujourd'hui c'était :

Minute papillon !
Minute papillon !
Minute papillon !
Minute papillon !

Il remuait les lèvres en murmurant, comme un enfant apprenant à parler. Il se sentait l'esprit léger. Il resta un moment assis dans sa voiture, la tête baissée. Réfléchis. Mets-toi à leur place. Ces youpins savaient que je serais à Salon, ils savaient où me trouver. Je ne pense pas qu'ils m'aient suivi à Caunes. Non, ils m'attendaient ici, à Aix. Ils savaient que j'irais au prieuré. Ils me guettaient. Et, dans ce cas, ils doivent savoir aussi que, d'habitude, je me rends ensuite à Villefranche.

Quelqu'un me trahit. Quelqu'un qui connaît mes déplacements.

Cache-toi. Brouille les pistes. Nicole ? Personne n'est au courant. Personne.

Nicole. Il démarra.

13

Il aperçut le vieux au comptoir, un verre à la main. Il allait peut-être déjeuner là. Et après, allait-il rentrer chez les moines ? T. regagna sa voiture et la gara près du café. Il alluma une cigarette. L'horoscope, il ne parvenait pas à oublier cet horoscope. « Le 9... » Bon, ça approche. Il vaudrait mieux que je règle ça aujourd'hui. Une Peugeot blanche. Il doit être garé dans le coin. Je le suivrai quand il sortira du café. Je n'aurai qu'à lui régler son compte sur le parking, au moment où il ira récupérer sa voiture. S'il tombe entre les bagnoles, on ne le retrouvera peut être pas tout de suite. Allez, détends-toi. Le vieux est un professionnel. Si tu passes devant le café une autre fois, il risque de te reconnaître.

Mais, au bout de vingt minutes, T. eut un mauvais pressentiment. Il valait mieux retourner voir. Il sortit de voiture et passa devant le café. Le vieux n'était plus là. Il entra dans le café. Rien. À l'arrière, une porte donnait sur une longue ruelle débouchant sur une grande rue. Disparu. Il m'a vu.

Ou peut-être pas. Si oui, il ne retournera pas au prieuré, il va récupérer sa voiture et filer. Quitter Aix. Pochon avait dit : « Si, pour une raison ou une autre, vous le perdez, téléphonez-moi immédiatement. Immédiatement. C'est bien compris ? »

Il retourna se garer à côté du prieuré. Il ne bougea pas de l'après-midi. Il espérait seulement que le vieux était juste allé chercher sa voiture et reviendrait passer la nuit au prieuré. Mais T. savait. Il savait. S'il ne m'avait pas vu, pourquoi serait-il sorti par-derrière ?

Et le grand moine. Lorsqu'il l'a pris dans ses bras, c'était pour lui dire adieu. Il ne reviendra pas.

« Si, pour une raison ou une autre, vous le perdez, téléphonez-moi immédiatement. Immédiatement. C'est bien compris ? »

À 19 heures, il rentra à son hôtel et téléphona.

14

— Vous savez ce qu'il pense ? Il pense que s'il arrive à nous faire nettoyer les chambres en douze minutes, il pourra aller trouver le grand patron américain et lui dire qu'il peut se débrouiller avec seize femmes de chambre au lieu de vingt-deux. C'est Yvette qui l'a dit. Et elle a raison.

— Yvette est une communiste, répondit Mme Marrane. S'il le faut, je ferai les chambres en douze minutes. Si on refuse, ils embaucheront des étrangers à notre place.

— Enlever les draps, en mettre des propres, nettoyer les WC et le lavabo, laver le carrelage, changer les serviettes et les savons, épousseter les lampes et les tables, aspirer les tapis. Tout ça en douze minutes ! Une chambre puis la suivante. À notre âge, ce n'est plus du travail, c'est le goulag !

Elles se trouvaient dans le bus municipal qui les ramenait chez elles, à Cannes, après leur journée de travail à l'hôtel Majestic de La Napoule. Le groupe américain qui avait racheté le Majestic six mois plus tôt l'avait transformé en hôtel casino, avec roulette, black-jack et machines à sous dans l'entrée. On y avait construit une nouvelle piscine. Les chambres avaient été rénovées. Mme Marrane, qui pouvait se prévaloir de plusieurs années d'ancienneté, avait reçu une modique augmentation une semaine après l'arrivée des

Américains. Elle trouvait la diatribe de Mme Dufy totalement déplacée. Si les Américains voulaient que les chambres soient faites en douze minutes, eh bien, on n'aspirerait qu'un jour sur deux. Personne n'avait besoin de le savoir. Il faudrait juste vérifier qu'il n'y ait pas de cochonnerie par terre. Mais elle s'abstint de tout commentaire. Mme Dufy était une vraie pipelette. Comme Yvette. Les Américains se moquaient de qui faisait le travail. Si elles se plaignaient, ils feraient appel à des Africains ou à des Arabes.

Le bus arrivait à Cannes. Mme Marrane descendait à l'arrêt quai Saint-Pierre. En se levant, le petit paquet de viande hachée qu'elle avait achetée pour son chien tomba de son sac et roula sous son siège. Elle ne s'en aperçut pas, mais Mme Dufy si. Comme elle avait vingt ans de moins, elle se mit à quatre pattes pour le récupérer. Le chauffeur du bus lui tint la porte. Elles se serrèrent la main, comme d'habitude.

— À demain, alors. Et merci, hein !

Mme Dufy avait bon fond, quand même. Mme Marrane prit la rue Louis-Blanc, pensant à sa déception si elle était rentrée chez elle sans la petite gâterie pour Bobi. Ce chien était incroyable. Il sait qu'on est vendredi. Le jour de paie. Le jour de sa gâterie. Les gens ne comprennent rien aux animaux. Je l'ai dit à la mère Annunciata : ce sont des créatures de Dieu, comme nous. Vous ne pourrez pas me faire croire que Bobi va mourir et plus rien, tandis que moi j'irai au paradis. Selon elle, les animaux n'ont pas d'âme. Si on pense autrement, on blasphème. Mais les bonnes sœurs ne savent rien de rien sur la vraie vie, ni même, peut-être, sur la religion. Ce n'est pas parce que mère Annunciata est la révérende d'une trentaine de nonnes qu'elle a le droit de raconter n'importe quoi sur Bobi. Dieu ne lui a pas donné de savoir particulier, pour qui se prend-elle ? Les bonnes sœurs et leurs idées ! Dire qu'autrefois j'ai failli prendre le voile, devenir nonne, me couper du monde. Non pas que le monde m'ait si bien traitée. Ah ça non ! Mais Bobi, je pense à Bobi. Aucun être humain ne m'a jamais aimée comme il m'aime. Aucun.

À l'autre bout de la rue Louis-Blanc, elle attendit le bus 86. L'appartement de la rue Cochet se trouvait au rez-de-chaussée. Il y faisait très sombre, mais maintenant que Bobi était aveugle, cela l'arrangeait. C'était un berger allemand. Elle aurait été obligée de le porter pour monter et descendre l'escalier. Car sa promenade était sacrée, pas seulement pour son pipi et le reste, mais parce qu'il était aussi fou qu'un jeune chien dès qu'il mettait le nez dehors. Mais, à vrai dire, elle aussi oubliait son âge et se sentait rajeunir lorsque Bobi commençait à tirer sur sa laisse en arrivant au jardin de la place de Gaulle.

Mme Marrane sortit sa clé et l'introduisit dans la serrure de son appartement, guettant l'aboiement habituel. Au lieu de quoi, une voix d'homme retentit :

— Qui est là ?

Elle eut un instant de panique.

— C'est vous, monsieur Delisle ?

C'était le mari de Mme Delisle, la concierge. Il avait dû passer pour réparer la chasse d'eau.

Elle entendit le déclic du verrou et la porte s'ouvrit. Ce n'était pas M. Delisle. C'était lui ! Elle le poussa pour passer.

— Bobi ? Bobi, où es-tu ?

— Je l'ai enfermé dans la cuisine, dit-il.

— Non !

Elle se tourna vers lui comme pour le gifler, puis se rendit à la cuisine pour libérer son chien, qui se mit à grimper sur elle et à lui lécher la main.

— Tout va bien, Bobi, tout va bien. J'ai une surprise pour toi, ne t'inquiète pas.

Le chien retourna dans la cuisine derrière elle. Elle prit sa gamelle et écrasa la viande à l'aide d'une fourchette.

— Moi aussi, j'ai une surprise pour toi, dit-il.

Elle l'ignora. Que faisait-il ici ? Que voulait-il ? Il voulait quelque chose, évidemment, comme d'habitude. Cela faisait plus d'un an qu'il n'était pas venu la harceler. Avant, il venait juste pour lui faire l'amour, mais à présent, il était trop vieux pour ça. Ils l'étaient d'ailleurs tous les deux. Elle regardait Bobi manger.

— C'est bien, Bobi, c'est bien, mon bébé. Tu aimes ça, hein ?

Il était affamé, mais il s'arrêta quand même de manger pour la regarder avec ses pauvres yeux blanchâtres, voilés par le glaucome. Il avança le museau pour renifler son bras, puis lui donna un coup de langue, avant de revenir à sa gamelle. L'homme contourna Bobi, s'éventant avec quelques billets de 500 francs disposés en éventail.

— Où as-tu trouvé ça ? demanda-t-elle.

— Sur un youpin mort. Je suis superstitieux. J'ai peur que son argent me porte malheur. Alors j'ai décidé de te faire un beau cadeau.

Elle regarda l'argent, puis détourna les yeux. Il doit y avoir 5 000 francs, peut-être plus. Il y a longtemps, j'ai décidé que je n'accepterais plus un centime de lui. Il m'a quittée, il m'a abandonnée, il m'a menti. 5 000 francs. Pour m'offrir une somme pareille, il a un service à me demander. Évidemment.

— Je ne veux pas de ton argent. Sors d'ici. Je t'ai dit que je ne voulais plus te voir. Tu as dû faire un double de la clé la dernière fois. Donne-la-moi.

— Allons, Nicole. 6 000 francs. Prends-les. J'aimerais passer quelques jours ici. Au fait, j'aurai besoin de cette clé pour entrer et sortir.

— Il est hors de question que tu restes ici. Je te l'ai déjà dit. Rends-moi la clé.

— Désolé, non.

— Je changerai la serrure.

— Non. Tu es ma femme. J'ai le droit d'être ici.

— Tu n'as aucun droit. Nous avons déjà parlé de tout ça.

Il s'assit à la table de la cuisine, comme s'il était chez lui.

— Seulement pour quelques jours. Je dois contacter quelqu'un pour décider de ma prochaine destination. En attendant, personne au monde ne saura que je suis ici. C'est la cachette idéale pour moi.

— Il n'y a plus de cachette idéale, répondit-elle. Ta photo était dans *Le Provençal* le mois dernier.

— C'était une photo de police, et elle date ! Même toi tu t'y trompais.

Il fit un rouleau des billets, l'entoura d'un élastique et le jeta sur la table.

— Tiens, mon chou. Maintenant, pourquoi tu ne sortirais pas pour aller nous acheter de quoi faire un bon dîner ? Et prends de la viande pour notre chien. Hein, Bobi ? Si on lui achetait un bon steak de cheval. Pourquoi pas ? Rien n'est trop bon pour notre chien.

— Bobi ? dit-elle. Viens ici.

L'animal baissa la tête pour échapper aux caresses hypocrites de l'homme et s'approcha d'elle, fourrant sa truffe dans sa jupe. Elle fit volte-face et sortit de la cuisine, Bobi sur ses talons. Elle s'enferma dans sa chambre, puis s'allongea, laissant le chien grimper sur le lit et s'installer à ses pieds. Pauvre Bobi. Il va dormir à présent. Quand il dort, à quoi rêve-t-il ? Se rappelle-t-il le temps où il n'était qu'un tout jeune chiot ? Le jour où Pierre me l'a ramené, il y a onze ans, il tenait presque dans la paume de la main. Se rappelle-t-il cette époque ? Je n'oublierai jamais ce jour-là. Pierre est entré dans la cuisine en disant : « J'ai un cadeau pour toi. » Et j'ai répondu : « Je ne veux pas savoir ce que c'est. Tu peux le garder. »

« Attends. Il est dans la voiture. »

Je me souviens d'être allée à la fenêtre de la cuisine. J'ai pensé : « Alors il a acheté une voiture maintenant qu'il m'a quittée. Lui qui refusait de sortir la journée de peur qu'on le reconnaisse, à présent, il se balade en voiture. » J'ai vu la 2 CV garée dans la cour. J'ai vu Pierre ouvrir la portière et récupérer son cadeau. Je pensais à des fleurs ou à des chocolats, et j'étais prête à les lui jeter à la figure. Mais il est revenu avec ce petit chiot, si mignon. Le salaud ! Quand nous étions ensemble, je lui réclamais tout le temps un chien et, chaque fois, il répondait non, sous prétexte qu'on devrait peut-être partir en catastrophe et qu'on ne pouvait pas savoir si les chiens seraient acceptés là où on irait. Je lui ai demandé : « Où est-ce que tu l'as trouvé ? » Le connaissant, il était capable de l'avoir volé.

Alors il m'a tendu le chiot. Je me souviens avoir pensé qu'il avait les yeux les plus adorables et les plus enjôleurs du monde. On avait envie de les couvrir de baisers.

— C'est un berger allemand. J'en avais six comme lui quand j'appartenais à la Milice. Ce sont des chiens policiers. Nous pouvons le dresser.

— Le dresser ? Nous ? Comment ça ? Ne me dis pas que la police a arrêté les poursuites ?

Il a secoué la tête.

— Quand je viendrai te voir.

— Tu ne viendras plus me voir, tu m'entends ? Je ne veux plus entendre parler de toi.

— Comment vas-tu l'appeler ? C'est un petit mâle. Que penses-tu de Putzi ? Un des bergers que j'avais dans la Milice s'appelait Putzi. Il était magnifique. Un pedigree exceptionnel. Il avait appartenu au commandant Knab lui-même. Je t'ai parlé de Knab, tu te souviens ? C'est lui qui disait que j'avais le type nordique parfait.

— Tu as surtout le type merdique parfait. Toi et ton Putzi ! De toute façon, je n'en veux pas.

J'ai reposé le chiot par terre.

— Tant pis, je l'abandonnerai dans une ruelle quelconque. Je n'en veux pas non plus, je l'ai acheté pour toi. Tu ne souhaites quand même pas qu'il meure de faim ?

— Il n'est pas à moi.

— Maintenant, si. Écoute, Nicole, je ne supportais plus d'être loin de toi. Je sais que je prends un risque en venant ici mais tu me manques. C'est horrible. Je rêve de toi toutes les nuits. Allez, laisse-moi rester ici quelques jours.

— Non.

— Juste une semaine, d'accord?

— Je sais pourquoi tu es revenu. Une fois que tu auras tiré ton coup, tu disparaîtras de nouveau. D'où vient cette voiture? Tu l'as volée?

— Des amis me l'ont prêtée. Des prêtres. Ils m'hébergent. Ils vont me trouver un emploi permanent, je taperai les rapports du collège Saint-Christophe, à Aix. Ce ne sera pas grand-chose, mais ça fera un petit plus.

— Ça aidera qui?

— Je t'enverrai des sous dès que j'en gagnerai un peu.

— Je ne te demande pas d'argent. Je ne veux plus entendre parler de toi. J'ai un nouveau travail.

— Tu ne travailles plus chez les sœurs?

— J'ai arrêté. Je suis femme de chambre au Majestic. Crois-le ou non, ça paie mieux que les bonnes sœurs.

— Femme de chambre? Ma femme est une bonniche! Mon Dieu, et quoi d'autre encore?

— Je ne suis pas ta femme. Tu as vu le nom sur la porte? Marrane. C'est le mien, pas le faux nom que tu utilises. Pou-Pou-Pou... Pouliot.

— Mais tu te fais appeler madame, non?

— Je suis obligée. Mais il n'y a pas de madame qui tienne!

— Tu es ma femme devant Dieu. Nous avons été mariés à l'église. C'est le seul mariage qui compte.

— Va dire ça à la mairie. La police te recherche. Jamais on ne te donnera d'acte de mariage!

— Ça va, ça va. L'abbé Feren s'en charge.

— Vraiment? Tu me prends pour une idiote? Je sais très bien que si l'abbé allait à la mairie aujourd'hui pour dire qu'il nous a mariés sans autorisation il serait envoyé en prison.

— Qui t'a raconté une chose pareille ?

C'était Jacquot, mais je ne lui ai pas dit. Le chiot a trottiné sur le carrelage de la cuisine, la queue frémissante, et il est venu frotter sa petite tête contre ma cheville. Le chiot. Bobi. C'était un piège. Il savait que je garderais ce chiot. Il était trop mignon. Je ne pouvais pas dire non. Il avait menacé de l'abandonner dans une ruelle. Il en était capable. Pour le reste, je ne m'étais pas trompée. Il était revenu uniquement pour mes fesses. J'étais encore jolie à l'époque. Deux heures plus tard, il m'enlevait ma culotte et bandait comme un âne. Une semaine après, il était parti. C'était un véritable obsédé, même s'il prétendait que c'était notre devoir devant Dieu d'avoir un enfant. Oui, il voulait un enfant, mais pas pour les raisons habituelles. Avec un enfant, il me tenait. Et il aurait pu prouver à ses amis prêtres qu'il était un bon père de famille persécuté par les juifs.

— Tu n'es pas si religieux que ça, lui avais-je dit une fois. Tu fais semblant.

— Ah oui ? Que Dieu te pardonne ! Tu ne sais pas ce que tu dis. Tu n'as aucune idée de ce que représente la foi pour moi. Tu ne sais pas à quel point je souffre de ne pas pouvoir aller à la messe comme tout le monde, de peur que quelqu'un ne me reconnaisse.

— Qu'est-ce que tu racontes ? Tu ne vas pas à la messe parce que tu ne supportes pas de voir des Noirs s'agenouiller à côté de toi dans l'église, parce que tu ne supportes pas de voir le prêtre de face qui prie en français, au lieu de marmonner en latin le dos tourné, comme quand tu étais enfant de chœur.

— Tu n'as pas tort. Ces prêtres gauchistes ont gâché la beauté de la messe, ils bafouent notre religion. Mais, de toute façon, tu t'en moques, Nicole. Tu ne comprendras jamais ce que signifient ces choses pour moi. Tu ne sais pas ce qu'est la foi.

— C'est faux. Tu mens. Tu es le plus grand menteur que je connaisse. Et tout ce blabla comme quoi tu serais devenu un autre homme depuis ta rencontre avec Mgr Le Moyne. Je vais te dire ce que j'en pense : ce sont des foutaises. Mgr Le Moyne n'est que le dernier sur ta liste de bonnes poires. « Mon père, écoutez-moi, écoutez ma confession. Vous seul pouvez me sauver, vous seul pouvez me ramener à Dieu. » Tu sais aussi bien que moi que tu es un imposteur. Est-ce que tu as oublié l'abbé Feren ?

C'est vrai. La première fois que je l'ai rencontré, il était en compagnie de ce prêtre, l'abbé Feren, un vieil idiot, l'ancien chapelain de la Milice. Tu parles d'un cinéma ! Ils ont débarqué chez moi, à Marseille, un soir à l'heure du dîner. Le vieux curé le tenait par un bras et Jacquot par l'autre. Il pissait le sang, et ça ruisselait sur le sol. Ce grand gars tout blond, je l'ai pris pour un déserteur allemand. Il n'avait pas l'air français. Ils l'ont allongé sur mon canapé. Il semblait au bord de l'évanouissement et Jacquot a dit : « Nicole, voici Pierre Brossard. C'était mon chef dans la Milice et maintenant il a les FFI au cul. Quelqu'un l'a reconnu sur la Canebière et lui a tiré dessus. Et je te présente l'abbé Feren. Nous sommes passés le voir en premier et il va nous aider, mais nous ne pouvons pas rester chez lui.

— Bonsoir, mademoiselle, a dit le vieux curé. Vous êtes la sœur de Jacquot, c'est ça ?

— Oui, mon père.

— L'abbé connaît un médecin qui va lui retirer la balle. Nicole, on a besoin de toi. Il faudrait que Pierre dorme sur ton canapé.

C'était grâce à Jacquot que j'avais eu l'appartement. Il l'avait récupéré en 1943. La Milice l'avait réquisitionné lorsque la famille Rosenthal avait été déportée en Allemagne. C'était au 171 de la rue Paradis, le seul bel appartement que j'aie jamais eu, et Jacquot, paix à son âme, disait toujours : « Je suis ton grand frère. Il ne reste plus que nous deux, et c'est à moi de m'occuper de toi. » Et il l'a toujours fait. Je ne pouvais pas lui refuser cette faveur. J'étais bien obligée d'héberger son ami.

Le médecin est passé plus tard dans la soirée et il a réussi à enlever la balle. Ensuite, l'abbé Feren et Jacquot m'ont laissée seule avec Pierre. Je lui ai préparé le canapé du salon pour qu'il dorme et je lui ai donné de la soupe. Il m'a remerciée, il a pleuré – il a toujours su pleurer au moment opportun – et, plus tard, quand je suis allée voir s'il allait bien, il était agenouillé à côté du canapé et il priait. Je savais comment étaient les miliciens, mais lui était différent. Il ne ressemblait pas à Jacquot non plus. Faire le signe de croix... Réciter des prières... Et beau gosse avec ça, dans le genre nazi blond. La vérité est que sa jolie petite gueule m'a séduite, il m'a eue avec son numéro. Pendant les trois semaines où je l'ai soigné, il a été malin. Pas une fois il n'a essayé de sauter sur la petite sœur de son ami. Il était tout respect et gratitude. Puis il m'a dit qu'il était amoureux de moi. La guerre venait de se terminer. Les choses avaient mal tourné pour nous : mon frère était condamné à mort par contumace et moi je me tuais au travail chez Fabrice Mounier. Je voulais un homme, je voulais un enfant, je voulais être heureuse, normale, comme tout le monde.

Tu parles ! Vivre comme tout le monde avec Pierre, quelle blague ! Est-ce qu'il m'a seulement aimée ? Si on me demandait de définir Pierre en un seul mot, je dirais « menteur ». Que des mensonges. Même l'histoire des FFI qui lui avaient tiré dessus. J'ai tout entendu, un jour où je me trouvais aux toilettes. C'était deux ans après, on vivait à Hyères à l'époque, et Jacquot était passé le voir. Ils ne savaient pas que j'étais à la maison. Et j'ai entendu Jacquot dire :

— Je ne sais pas, j'en ai marre. On a encore les armes. On pourrait rempiler.

— C'est trop risqué, a dit Pierre. Regarde ce qui s'est passé la dernière fois.

— C'était ta faute. Tu as paniqué.

— Je n'ai pas paniqué. Je te l'ai déjà dit. Ce n'est pas comme à Paris. À Marseille, il y a des flics partout.

— Ce n'était pas bourré de flics ce jour-là. Il n'y en avait qu'un et il nous a vus par hasard. Si tu ne t'étais pas mis à courir, il ne nous aurait pas tiré dessus.

— Qu'est-ce que tu en sais? Écoute, ce qu'on fait maintenant a l'avantage d'être facile et sans risque. Bien sûr, ce n'est pas drôle de passer ses journées assis, avec un fer à repasser à la main. Mais c'est beaucoup moins dangereux que ce qu'on faisait avant. Je ne veux plus jouer avec le feu.

— Alors, ça ne t'intéresse pas? a demandé Jacquot.

— Non.

Je n'ai rien demandé à Pierre. Il m'aurait menti. J'ai demandé à Jacquot:

— Je vous ai entendus cet après-midi. À l'époque, vous m'aviez dit que c'était les FFI qui avaient essayé de tuer Pierre. Vous me mentiez tous les deux?

— C'était pour te protéger.

— Et cette histoire de fer à repasser? Ça veut dire quoi? Je croyais que Pierre et toi, vous travailliez à l'usine, chez Renault?

Jacquot a éclaté de rire.

— C'est ce qu'il t'a dit? Ça serait difficile! On n'a pas de papiers.

— Alors, qu'est-ce que vous faites?

— Ce qu'on peut. Tu vois ça? Ce sont des faux billets. Ils sont trop neufs. On est censé les repasser et les plier jusqu'à ce qu'ils aient l'air authentiques.

— Et tu fais ça depuis combien de temps?

— Depuis qu'on vit à Hyères. Écoute, est-ce qu'on a vraiment le choix? Les youpins et les communistes veulent notre peau. Les tribunaux grouillent de juges communistes. Les flics qui nous attraperont se verront décerner une médaille. C'est pour ça que Pierre est venu ici. On ne peut faire aucun boulot légal. Tu ne peux pas imaginer à quel point c'est chiant de repasser des billets qu'on ne peut même pas dépenser, car si on en vole un seul, les types pour qui on travaille nous démoliront le portrait. De toute façon, j'en ai marre. Je rentre à Paris.

Pauvre Jacquot. Il l'a fait. Et deux ans après : cancer. Elle entendit Pierre dans la cuisine.

— Nicole ?

Elle ne répondit pas.

Il frappa à la porte de sa chambre.

— Nicole, tu es là ?

Bobi se couvrit la tête avec ses pattes et se mit à gémir. Elle se leva pour rassurer l'animal.

— Arrête de frapper comme ça, lança-t-elle. Tu fais peur à Bobi.

— Je ne me contenterai pas de lui faire peur si tu n'ouvres pas tout de suite.

Il le ferait. Elle déverrouilla.

— Écoute, dit-il. C'est juste pour quelques jours. Lundi, je serai parti. En attendant, si tu veux la paix, fais ce que je te dis. Je ne veux pas bouger de cet appartement. Je veux des repas cuisinés ici, et bien cuisinés. Achète du bon vin. Fais ce que je te dis et je te promets que Bobi sera un chien heureux. Pas vrai, Bobi ?

Il s'approcha de l'animal et tendit la main pour le flatter. Mais Bobi savait. Bobi était aveugle, mais il savait. Ce chien était incroyable. Il fit mine de mordre la main qui s'avançait, Bobi qui n'aurait pas fait de mal à une mouche, qui jamais n'avait mordu qui que ce soit en onze ans.

— Laisse Bobi tranquille. Tu m'entends ? Laisse-le tranquille !

— C'est toi qui vois.

Aucun être humain ne l'aimerait jamais comme Bobi l'aimait, de cela, elle pouvait être sûre.

— D'accord, dit-elle. Viens, mon chien, viens. On va faire des courses.

Dès le premier instant, il l'avait désirée. Allongé sur le canapé du salon de son petit appartement de la rue Paradis, il la voyait passer à demi nue lorsqu'elle allait et venait entre la douche et sa chambre. Mais il n'avait pas le droit de la toucher, à cause de Jacquot. En plus, elle était mineure. Mais, à vivre à ses côtés, il ne pensait plus qu'à ça. C'était parce qu'elle lui était interdite qu'elle l'excitait autant. De toute manière, il avait changé depuis qu'il avait retrouvé Dieu. Pendant la guerre, il s'était éloigné de la foi de son enfance, de la messe et de la confession, il avait oublié les soirs où il s'agenouillait avec ses parents pour réciter le rosaire familial. Il avait mené une vie mouvementée durant toutes ces années où il s'était battu pour le Maréchal et la France. Les miliciens n'étaient pas des saints. Puis, juste après la guerre, à l'époque des hold-up, du marché noir et des faux billets, il avait revu l'abbé Feren et, soudain, l'enfer et le paradis s'étaient mis à le préoccuper de nouveau. Depuis qu'il vivait dans le petit appartement de Nicole, il avait recommencé à prier. La nuit. Il avait été condamné à mort par contumace. L'idée qu'il pouvait mourir, être capturé, l'avait ramené à Dieu. Grâce à cet abbé, qui savait ce que c'était d'avoir été dans la Milice, puis d'être abandonné après la victoire des communistes.

« Mon fils, bien sûr, vous avez commis des péchés par le passé, lui disait le religieux. Mais la miséricorde de Dieu est infinie. Il nous pardonne nos erreurs et nous demande seulement de ne plus pécher. »

Il voulait croire cet abbé. En ce temps-là, tout le monde voulait être pardonné. Le clergé, les politiciens à l'Assemblée nationale, les gens dans les magasins, dans les usines et dans les fermes. Quiconque ayant un tant soit peu de bon sens reconnaissait qu'il valait mieux oublier ce qui s'était passé pendant la guerre, que l'on se vengeait au lieu de rendre la justice, que la Résistance était dirigée par des communistes qui comptaient livrer le pays à Staline. Et les communistes ne haïssaient personne autant que les ex-miliciens. Il était une victime de son temps, c'était évident. Il voulait juste se marier, fuir son passé, vivre tranquillement. L'abbé Feren était conscient des tentations de la chair, et il savait que Pierre ne pouvait pas se marier à la mairie. Alors, le saint homme lui dit qu'il célébrerait leur union de la seule manière qui importât, à l'église, sous le regard de Dieu. Et, une fois mariés sous le regard de Dieu, il y avait eu cette époque bénie où il traînait au lit le dimanche matin, en attendant qu'elle revienne de l'église dans ses beaux habits, son missel à la main. Il la faisait se déshabiller et s'allonger sur le lit, à côté de lui. Le sexe dur et dressé, il regardait son corps nu en se disant qu'il pouvait la prendre comme il voulait et quand il voulait, sans pécher. Jusque-là, jamais il n'avait pu le faire sans penser qu'il devrait en parler à confesse. Mais maintenant qu'il était revenu à Dieu, maintenant qu'il s'efforçait de vivre en état de grâce, maintenant que l'abbé Feren avait entendu sa confession et lui avait donné l'absolution, mieux valait éviter les tentations. L'abbé, et plus tard Mgr Le Moyne, le voyaient comme un catholique dévot qui obéissait aux commandements. Et ils avaient raison. À présent, il avait une jolie femme et il pouvait le faire sans pécher.

Bien sûr, par la suite, il avait dévié du droit chemin plus d'une fois. Dans les années 60, lorsqu'il avait dû quitter Hyères pour vivre dans des monastères et des presbytères, il avait beau prier, il y avait toujours des tentations, des filles faciles qui montraient leurs cuisses au coin des rues. Il n'était qu'un homme après tout. Il avait de l'argent. L'argent donné par les prêtres, l'argent gagné en travaillant pour eux puis, ensuite, l'argent des versements du commissaire. Il pouvait donc se le permettre. Mais lorsqu'il succombait, lorsqu'il commettait le péché de chair, il ne s'adressait pas à Mgr Le Moyne, son confesseur, il allait trouver un curé qui ne le connaissait pas. C'étaient des confessions spéciales, où il ne parlait que de ce péché-là.

— Viens, Bobi, par ici.

Il entendit la porte d'entrée se refermer. Cette sale bête aveugle, il aurait fallu la tuer depuis longtemps. Et

Nicole. Pauvre idiote. À qui pouvait-elle être utile à présent ? Vieille et laide, sans enfant ni famille, à part moi, et encore ! Son frère mort depuis longtemps. Quelle sorte de vie est-ce là ? Habiter cet appartement minable, prendre le bus de La Napoule six jours par semaine pour nettoyer la merde des autres. Elle ne croit même pas en Dieu. Ou si : sa religion, c'est son clébard. Je lui ai donné 6 000 francs. Combien de temps lui faudrait-il pour en gagner autant ? Elle va tout dépenser pour le chien. Eh bien, pourquoi pas ! C'est de l'argent qui porte malheur. Qu'on le donne au chien. De toute façon, je le sais, c'est la loi de la roulette. J'ai la poisse en ce moment.

Il alla jusqu'au buffet de la cuisine et ouvrit le tiroir du bas. Une bouteille de vin rouge à demi bue et une bouteille de porto bon marché. Il prit un verre et goûta le porto. Trop sucré, mais c'était mieux que rien. Je lui ai dit d'acheter du bon vin. Elle fera ce que je lui dis. Rappelle-toi, personne au monde ne sait que tu es là, pas même le commissaire. Je lui ai parlé d'Aix. C'est quand même dangereux. Il pourrait téléphoner là-bas. Je l'appellerai dimanche. Je lui dirai que je suis toujours à Aix.

Il termina la bouteille de porto, puis se rendit dans la chambre et s'allongea sur le lit de Nicole. Il prit son pouls. Quatre-vingt-six. Du calme. J'ai besoin de repos. D'une bonne nuit de sommeil. Ce lit est assez grand pour nous deux. Je vais manger un repas copieux, boire du vin et dormir. Pas pour rêver. Pas de rêve.

Mais il rêva.

Legrand était tout excité.

— Peloton d'exécution ! Peloton d'exécution ! Lecussan a dit à Knab qu'on allait en exécuter quinze. D'accord ? Je prends qui ?

— Viens avec moi.

Il se leva, laissant sur son bureau les papiers, ces foutus papiers qui lui dévoraient son temps. Voilà qui est mieux. En tant que chef du deuxième service, cela relève de mon autorité. Maintenant, je vais voir la peur dans leurs yeux.

Ils étaient quarante-six dans la grande pièce, des résistants pour la plupart, plus quelques juifs raflés au cours des derniers mois. Mais comment savoir ? Il entra avec Legrand sur ses talons. Il se tenait très droit, son béret placé selon un angle parfait, son pantalon et sa chemise immaculés. Les prisonniers qui marchaient dans la grande pièce s'immobilisèrent à sa vue. Les autres, étendus sur leur grabat de paille puante, roulèrent sur le côté et se mirent debout, effrayés à l'idée d'être frappés s'ils ne bougeaient pas. Il cria un ordre. Aussitôt, six miliciens montèrent l'escalier en courant et firent irruption dans la pièce, pointant leurs mitraillettes sur les prisonniers. Ceux-ci se figèrent. Ils ne regardaient pas les hommes armés. Ils le regardaient lui. C'était un moment de joie intense, un moment de toute-puissance. Je suis Dieu. Je suis Dieu !

Legrand le regarda respectueusement.

— À vos ordres, mon commandant.

Il resta silencieux pendant presque une minute, puis lança :

— Laissez tomber vos pantalons sur vos chevilles. Tous.

Ils se déboutonnèrent. Les pantalons tombèrent. Il fit un geste.

— Baissez vos slips. Sortez vos bites.

Quarante-six hommes tournés vers lui, le sexe à l'air. Il sortit le revolver de son étui et s'approcha du premier homme. Avec le canon de l'arme, il fit valser son pénis pour mieux le voir. Il passa au deuxième, puis au suivant et au suivant. Le quatrième l'avait noir et circoncis.

— Juif ? demanda-t-il.

La tête baissée, l'autre se taisait.

— Oui, c'est un youpin, dit Legrand.

Il fit un signe aux miliciens. Ils entraînèrent l'homme dans un coin. Il se sentait tout-puissant, il

avait le pouvoir de vie et de mort. Mais il voulait ména-
ger le suspense. Les résistants ne savent pas ce que je
cherche. Il s'avança vers le deuxième groupe d'hommes
et, là encore, fit trembler leur pénis d'une chiquenaude
de son canon. Le quatrième homme était aussi un juif.
Il fit un geste. Legrand esquissa un sourire. Les autres
gars aussi. Ils connaissaient les règles du jeu à présent.
Mais lui ne sourit pas. Il sentait l'excitation de la puis-
sance gonfler son propre sexe. Il avait une érection. Il
ne choisissait que les juifs, ceux dont le prépuce avait
été coupé il y a longtemps par un rabbin.

Mais il n'y avait que quatorze juifs sur les quarante-
six hommes. Tant pis. Il leur ordonna de se ranger sur
une ligne.

— *Remontez vos pantalons. Ça sera tout pour l'instant.*

Alors, Legrand lui posa la question et il y répondit. Il
dit la chose qui foutait tout en l'air, la chose qui lui
avait porté la poisse et qui expliquait pourquoi ce rêve
revenait le hanter sans cesse. La chose que les juifs
avaient citée dans leur plainte. La chose qui le rendait
coupable de crimes contre l'humanité.

— *Ils sont seulement quatorze, chef. Lecussan en a*
demandé quinze.

— *Il nous manque un youpin, répondit-il. Je ne*
veux que des youpins, que des youpins! Un point c'est
tout. Rompez.

Quatorze juifs. Il était reparti avec Legrand dans la
voiture de Lehman, qu'il avait réquisitionnée avant
d'envoyer son propriétaire à Auschwitz, lors du dernier
grand convoi ordonné par le préfet. C'était une Pan-
hard jaune, capote baissée, un roadster très chic. Le
peloton d'exécution et les prisonniers les suivaient dans
un camion agricole. En arrivant au cimetière, il fit ali-
gner les juifs contre le mur.

— *Les cartons sont prêts? demanda-t-il à Drumont.*

Il avait réclamé quatorze rectangles de carton, avec
le nom de chaque juif dessus.

— *C'est pour quoi faire, chef? demanda Legrand.*

— *Pour impressionner la population.*

Les gars du peloton d'exécution ricanèrent. Ils étaient nerveux. Les pelotons d'exécution étaient toujours nerveux.

Il aimait bien les exécutions. C'était une forme de guerre. L'ennemi était acculé, en son pouvoir. Il était Dieu. Il donnait les ordres.

Les mitraillettes. Elles tiraient des rafales. Mais on n'était jamais trop prudent. Il ne devait y avoir aucun témoin. Legrand et lui parcoururent la rangée pour leur donner le coup de grâce : une balle dans la nuque. Les gémissements cessèrent. Les convulsions aussi.

— *Pieds au mur, ordonna-t-il.*

Le peloton rangea les corps en leur mettant la plante des pieds contre le mur.

— *Les cartons avec les noms.*

On leur attacha autour du cou les petites pancartes. Une ultime convulsion tordit l'un des cadavres et son carton se coinça sous lui.

— *Ça ne fait rien. Allons-y.*

— Arrête de te contorsionner comme ça, dit Nicole. Tu vas me faire tomber du lit, à force.

Il émergea de son rêve.

— Ce n'était pas moi. C'était un youpin mort.

15

— Mais pourquoi moi ? demandait Valentin.

Le professeur Proulx, qui grimpait le grand escalier de pierre de l'archevêché juste devant lui, ne répondit pas. Il était vieux et corpulent. Il préservait son souffle pour parvenir au sommet. Une fois en haut, il fit une pause.

— Gorchakov. Il figure sur votre liste de gens à interroger, non ?

— Oui, mais je ne lui ai pas encore parlé.

— Le cardinal m'a dit que l'affaire était liée à Gorchakov. J'ai donc pensé que vous deviez m'accompagner.

Le professeur Proulx était le président de la commission du cardinal et l'auteur d'un ouvrage sur l'histoire de la France contemporaine qui faisait autorité. Valentin lui vouait une certaine admiration. Il se demandait qui d'autre assisterait à la réunion. Il se souvenait du dossier de Dom Vladimir Gorchakov : un carme, abbé de Saint-Cros, ancien élève de l'École normale supérieure, qui s'était mis au service du maréchal Pétain pendant les premières années de Vichy, avant d'entrer dans les ordres ; un Russe blanc, un aristocrate dont la mère, une princesse géorgienne, avait été assassinée par les communistes ; un ecclésiastique réactionnaire, hostile aux vues libérales du cardinal. Tout le portrait d'un prêtre susceptible d'offrir l'asile à Brossard.

Le cardinal se tenait dos à une grande fenêtre qui donnait sur la place de Fourvière. À sa droite, se trouvait un prêtre qu'on leur présenta comme étant le père Thiers, de la Société de Jésus. À sa gauche, Mgr Flandrin, le secrétaire du Comité épiscopal pour les relations avec le judaïsme, était confortablement assis sur un canapé. Le cardinal, grand et voûté, fit un léger mouvement de la tête pour leur souhaiter la bienvenue et les pria de s'asseoir. Lui-même resta debout, tirant d'un air absent sur son long nez avec son index et son pouce.

— Messieurs, c'est une affaire qui vous concerne directement en tant que membres de notre commission. Mais j'attends de vous la plus stricte confidentialité. Rappelez-vous : nous ne sommes pas des policiers. Ce n'est pas à nous de livrer Brossard à la justice. Je dis cela à cause d'un événement qui s'est produit il y a quelques jours. Dom Vladimir Gorchakov, de l'abbaye de Saint-Cros, à côté de Salon, m'a téléphoné pour me dire que Brossard venait de passer un mois dans son monastère et qu'il était parti brusquement il y a quelques jours. Le lendemain de son départ, la police est venue à l'abbaye et a annoncé à Dom Vladimir qu'un touriste étranger avait été assassiné à quelques kilomètres de là, et que sa voiture avait été jetée dans un ravin. On a demandé à Dom Vladimir si lui ou l'un des moines attendait de la visite. Personne n'était attendu. On n'a trouvé aucun papier sur le mort et son portefeuille avait disparu, mais on a réussi à l'identifier grâce au permis de conduire canadien qu'il avait présenté à la compagnie de location de voitures, à Marseille. Dom Vladimir a remarqué que le nom sur le permis était juif. Comme nous le savons, au moins deux associations juives s'efforcent de retrouver Brossard pour le faire comparaître devant les tribunaux. La police est repassée voir Dom Vladimir pour lui dire que le permis de conduire était faux. Dom Vladimir n'a pas mentionné Brossard ni son départ soudain le jour du meurtre, cela va de soi. Mais il a téléphoné à un vieil ami, Dom André Vergnes, le principal d'un collège bénédictin à Aix, où Brossard avait l'habitude de séjourner après Salon. Il l'a mis au courant des événements et, deux jours après, il recevait un appel de Dom André disant que Brossard s'était présenté au prieuré et avait demandé à y être accueilli. Pour la première fois, Dom André, qui jusque-là logeait Brossard et l'aidait financièrement parce qu'il le croyait persécuté, a trouvé son attitude suspecte et a préféré le renvoyer. Les deux religieux ont alors décidé qu'il était de leur devoir de me prévenir qu'ils l'avaient hébergé, au cas où Brossard serait lié à ce meurtre. Dom Vladimir pense que l'homme était peut-être un juif sur la piste de Brossard et que ce dernier l'aurait tué, puis lui aurait pris ses papiers et son portefeuille pour faire croire à un vol. Je vous ai appelés aujourd'hui car, si Brossard est réellement mêlé à cette horrible affaire et que l'on découvre que l'Église le protège encore, les médias n'auront pas fini de me harceler. Bien sûr, je ne nierai pas les faits, mais il devient extrêmement urgent que la commission me fournisse des réponses.

— Des réponses de quel ordre ? demanda le professeur Proulx.

— Un rapport préliminaire serait le bienvenu. Cela montrerait que nous essayons sincèrement de faire la lumière sur l'implication de l'Église dans cette affaire. Nous devrions également, si possible, tenter d'expliquer comment il a pu recevoir de l'aide de nombreux membres du clergé au cours des dernières années.

Mgr Flandrin leva la main.

— Messieurs, il y a aussi la question délicate de la communauté juive. Comment va-t-elle réagir si nous avouons que nous protégeons toujours Brossard, alors que j'ai assuré le grand rabbin du contraire ?

— Mais nous le protégeons ! intervint le jésuite. Et malgré les instructions de Son Éminence, certains religieux continueront à le faire. Il faut donc que nous découvrions qui ils sont. J'ai un peu étudié la question et, de toute évidence, il a des habitudes. Brossard suit un parcours préétabli qui se répète d'année en année. Il y a des monastères et des couvents qui lui offrent régulièrement le gîte et le couvert et, parfois, l'emploient à de petits travaux.

Il regarda le professeur Proulx.

— Les premières découvertes de la commission confirment mon opinion, je crois, monsieur?

— Effectivement, répondit le chercheur. Mais le cercle de ses amis a beaucoup rétréci. Le professeur Valentin me dit qu'entre la plainte pour crimes contre l'humanité et la médiatisation, de nombreux prêtres, autrefois persuadés de son innocence, se posent des questions.

— Je ne me réjouirais pas trop vite, à votre place, dit le prêtre avec un gloussement nerveux. Dans le clergé, la dévotion remplace souvent l'intelligence.

— Votre Éminence a-t-elle reparlé avec Dom Vladimir ou Dom André? demanda Proulx. S'ils ont changé d'avis au sujet de Brossard, peut-être pourraient-ils nous aider?

— Je leur ai parlé à tous les deux. Je leur ai dit que nous voulions éviter toute publicité inutile et que nous n'avions donc aucune intention de livrer Brossard à la police. J'ai demandé à Dom Vladimir s'il avait une idée de l'endroit où pouvait se trouver Brossard. Apparemment, celui-ci lui aurait confié un jour que, après Aix, il rendait souvent visite à des amis religieux à Nice.

— Quels amis, monsieur? demanda Valentin.

Le cardinal lui décocha un regard glacial, puis se tourna vers la fenêtre. Le soleil se couchait sur Fourvière.

— Professeur, je le répète, je ne vous ai pas demandé de venir ici ce matin pour jouer les détectives. C'est notre travail, au père Thiers et à moi, de découvrir qui sont ces gens et de mettre un terme à leurs agissements. À ce moment-là, je vous donnerai évidemment toutes les informations en notre possession.

— Votre Éminence, dit Proulx aimablement, je suis sûr que le professeur Valentin ne voulait pas être indiscret.

— Bien entendu, dit le cardinal en se retournant vers eux avec un sourire poli. Nous avons tous beaucoup de travail. Ce pauvre Mgr Flandrin, ici présent, aura sans doute la tâche la plus pénible de toutes s'il se voit dans l'obligation d'expliquer cette situation à la communauté juive. D'ici là, messieurs, je vous serais très reconnaissant si vous vouliez bien consulter les autres membres de la commission au sujet de ce rapport préliminaire, qui établirait que nous sommes bien en train de mener une enquête rigoureuse sur cette affaire. Mais, surtout, si vous parlez aux autres de ce dernier développement, demandez-leur la plus grande discrétion. Comme vous pouvez le constater, je me retrouve dans une position très inconfortable.

Proulx se leva et lança un regard à Valentin pour lui indiquer qu'il était temps de partir.

— Votre Éminence, je vais être franc. Vous nous avez confié la tâche d'élaborer un rapport exhaustif sur cette affaire. Si nous voulons faire un travail objectif, il nous faudra du temps. Je ne puis donc pas vous assurer que mes collègues historiens et moi-même accepterons de rédiger un rapport avant de connaître tous les faits. Mais je me plierai à l'avis de la majorité.

— C'est tout ce que je demande, répondit le cardinal. Et je vous remercie d'être venu. Vous me tiendrez au courant, n'est-ce pas?

— Oui, Votre Éminence.

Quelques minutes plus tard, tandis qu'ils descendaient le grand escalier de pierre, Proulx déclara:

— Je lui ai dit la vérité, n'est-ce pas?

— Comment ça?

— Un rapport préliminaire servirait juste à limiter les dégâts. C'est ce qu'il veut. Nous passerons pour les avocats de l'Église, si nous faisons ce qu'il suggère. Cela ne correspond pas aux termes du contrat.

131

— Ce n'est pas tout, dit Valentin. Ce colonel de gendarmerie à qui j'ai parlé, je pense que nous devrions l'avertir. En taisant ces informations, nous nous rendons coupables d'obstruction à la justice.

— Je n'irai pas jusque-là. Ce n'est pas notre rôle d'informer les autorités. Que le cardinal agisse selon sa conscience. Je pense que cette décision lui appartient.

Vraiment ? songea Valentin. Mais il se tut.

16

— Qui est à l'appareil, s'il vous plaît ?

— Dites-lui que c'est monsieur Pierre.

Lorsque Rosa entendit le nom, son cœur fit un bond. Henri lui avait dit : « S'il appelle en mon absence, surtout, débrouille-toi pour avoir une adresse, ou au moins un numéro de téléphone. Dis-lui que nous devons nous parler d'urgence. »

— Monsieur Pierre ? Oui, le commissaire attendait votre appel. Ne raccrochez pas, je vais voir si je le trouve.

— Merci, madame.

Elle traversa la cuisine et sortit dans le jardin. Elle ne savait pas si Henri était rentré. Il avait dit qu'il passerait peut-être jeter un coup d'œil au vignoble avant le déjeuner.

— Henri ? Henri ?

Une voix irritée lui parvint de la remise où il faisait le rempotage, au fond du jardin. Il sortit, en se frappant les mains pour se débarrasser de la terre.

— Quoi ?

— Téléphone. C'est lui.

Il hocha la tête et gagna la maison d'un pas plus rapide que d'habitude. Elle le suivit et constata que sa jambe gauche tressautait tandis qu'il prenait le combiné dans le vestibule. Il y avait donc un problème. Un gros problème.

— Vionnet à l'appareil.

— C'est Brossard. Vous avez des nouvelles pour moi ?

— À quel sujet ? Où êtes-vous ?

— Rappelez-vous, monsieur. La dernière fois que nous avons discuté, vous m'avez dit que vous vérifieriez le passeport du Canadien. Et que vous essaieriez de vous renseigner sur ce groupe.

— Vous ne lisez donc pas les journaux ? demanda le commissaire d'un ton furieux. La police de Salon a découvert que le numéro du permis était faux. Le passeport était probablement faux, lui aussi.

— Je suis désolé, je l'ignorais. Je me déplace beaucoup, comme vous le savez.

— Où êtes-vous ? À Aix ?

— C'est pour cela que je vous appelle, monsieur. Ce groupe, quel qu'il soit, savait que j'irais à Aix. Quelqu'un m'attendait à la sortie du prieuré Saint-Christophe. Heureusement, j'ai réussi à le semer.

— Mais où êtes-vous, bon sang ? Je dois savoir où vous vous trouvez !

— Bien sûr. C'est la raison de mon appel. La nuit dernière, j'ai dormi dans un hôtel à la sortie d'Aix. Je suis en route pour Nice maintenant.

— Vous serez à l'adresse que vous m'avez donnée ? Chez les amis de l'ancien évêque de Dakar ?

— Justement, monsieur. Si ce groupe m'a retrouvé deux fois, c'est parce que j'ai suivi mon itinéraire habituel. Ils risquent donc de m'attendre là-bas.

— Ce n'est pas idiot, dit le commissaire. Vous avez une autre solution ?

— J'ai un très bon ami chez les carmes, à Villefranche. L'abbé, là-bas, est un Chevalier et il me connaît bien. Cela fait deux ans que je n'y suis pas allé, mais je suis sûr qu'il me recevra.

— Quand serez-vous là-bas ?

— Demain, monsieur. Mais je voulais juste savoir. Vous n'avez pas d'information pour moi ?

— À quel sujet?

— Au sujet de ce groupe. Reconnaissez que c'est très inquiétant.

— Dès que j'aurai des nouvelles, je vous les transmettrai. Vous avez l'adresse et le numéro de téléphone de l'abbaye?

— Elle se trouve sur la Haute Corniche, juste à la sortie de Villefranche. Il n'y a pas de numéro de rue, mais c'est à quatre kilomètres d'un hôtel touristique appelé le Bristol. Le téléphone de l'abbaye est le 04 93 65 32 97.

— Bien. Appelez-moi demain sans faute, c'est entendu? Vous êtes sûr qu'on vous hébergera là-bas?

— Oui. Mais s'il y a le moindre problème, je vous tiens au courant.

— Je compte sur vous.

Le commissaire Vionnet reposa le combiné. Aussitôt, Rosa l'appela de la cuisine :

— Chéri, j'ai fait des saucisses aux lentilles pour midi. Tu veux manger maintenant?

— Un instant. Il faut que je passe un coup de fil d'abord.

17

Le présent est un écho du passé, songeait Valentin en déambulant dans les allées de gravier des Tuileries, à côté de son interlocuteur. Il y a quarante-quatre ans aujourd'hui, de Gaulle défilait victorieusement sur les Champs-Élysées. Pour les historiens, chaque année est un anniversaire. Pour les gens ordinaires, le passé est enseveli. À travers les grilles ouvragées des Tuileries, il regarda l'hôtel Meurice et la rue de Rivoli. Qui, parmi les badauds qui passent devant ces fenêtres, sait, ou veut savoir, qu'il s'agissait du siège de la Kommandantur allemande à Paris ?

— En quelle année êtes-vous né, colonel ? demanda-t-il à son interlocuteur.

— En 42.

— Nous sommes donc de la même génération. Je suis né au printemps 43.

— À Lille ?

— Non, à Bayeux. Et vous ?

— Moi ? À Dijon, répondit le colonel Roux.

— Nous sommes tous les deux trop jeunes pour nous souvenir de la guerre.

— Pour moi, c'est uniquement quelque chose dont parlaient mes parents, rétorqua Roux.

— Les miens n'en parlaient pas.

— Les miens si. Mon père était boucher. Il nous racontait des histoires de pilotes de la RAF, récupérés et renvoyés chez eux grâce aux réseaux de résistants. Évidemment, tout le monde prétendait en être. Après coup.

— Si seulement mes parents en avaient fait partie, dit Valentin. Ou s'ils nous avaient raconté un mensonge plausible. Mais rien. À mes questions et à celles de ma sœur, ils répondaient : « Vous ne comprendriez pas. » Mes parents étaient drapiers à Bayeux. Leur boutique est restée ouverte pendant toute la durée de l'Occupation. Bien sûr, comme tous les petits commerçants, la fin de la guerre signifiait pour eux la victoire des communistes. Lorsque j'y repense, je me rends compte qu'ils étaient contre tout, par principe. Jamais pour. Pétain ? Mon père disait juste qu'il était trop vieux pour gouverner la France. Après la guerre, ils ont voté pour de Gaulle, mais je ne pense pas que sa folie des grandeurs les ait convaincus. En quoi croyaient-ils ? Je me le demande encore. Quels étaient leurs idéaux ? Ils n'en avaient certainement aucun sous l'Occupation.

— Il est difficile de juger ce que les gens ont fait pendant cette période, dit le colonel. Nous n'avons pas vu nos rues envahies par les Allemands. La France était vaincue. Pétain était un ancien héros de guerre. Il paraissait l'homme idéal pour jouer les intermédiaires entre la France et Hitler. Qui était de Gaulle ? Un général parvenu qui s'était réfugié à Londres et dont nos parents n'avaient jamais entendu parler, quelqu'un qui travaillait avec les Anglais, alors que ceux-ci avaient laissé tomber la France, quelqu'un qui avait tout du dictateur potentiel. Et, soyons honnêtes, le but du Général n'était pas tant de combattre les Allemands et de gagner la guerre que de s'assurer que les Anglo-Saxons l'accepteraient comme le chef de la France libre. Et que celle-ci appartiendrait à l'équipe gagnante, prétendant ainsi à une victoire imméritée.

— Vous n'êtes pas gaulliste, à ce que je vois.

— Non. J'ai été socialiste autrefois. Aujourd'hui, je ne sais plus.

138

— Je pensais justement à de Gaulle, dit Valentin. Difficile de croire que la Libération a quarante-quatre ans.

— Oui, mais qu'est-ce que cela signifie pour un jeune de vingt ans ?

— Je me le demande. Je suppose qu'ils nous croiraient fous de vouloir traîner en justice un vieux fasciste qui a tué des juifs bien avant leur naissance.

— Sans doute, soupira Roux. Pourtant, je considère cette affaire comme la plus importante de ma carrière.

Valentin lui glissa un regard de biais : une haute silhouette martiale, le menton altier, le pas vif. Soudain, Roux s'arrêta et lui dit :

— C'est pour cette raison que je vous remercie de ce que vous m'avez révélé aujourd'hui. Vous m'avez fourni deux nouvelles pistes. D'abord, étudier de plus près ce meurtre. La police de Salon sait-elle quelque chose qu'elle n'a pas divulgué au public ? Par ailleurs, vos informations vont me permettre d'approfondir la méthode dont j'ai usé avec Mgr Le Moyne.

— C'est-à-dire ?

— Je lui ai fait remarquer que j'étais pour Brossard un poursuivant moins dangereux que le commando juif. Je pense que ma tactique a fait mouche. Et j'espère qu'elle sera tout aussi efficace avec notre ami Dom Vladimir Gorchakov. Si quelqu'un trahit Brossard, je dois l'attraper avant les autres. Pour ces deux raisons, je vais me rendre à Salon.

— Quand ?

— Ce soir.

— Une bourride !

L'inspecteur Cholet avait prononcé le mot comme un acteur annonçant une grande fresque historique.

— Colonel, aujourd'hui, c'est le seul jour de la semaine où la mère Michèle prépare la bourride au Tout Va Bien. Lorsque vous m'avez appelé ce matin, j'ai pris la liberté de réserver une table pour deux. La bourride de la mère Michèle est l'apothéose de la soupe de poisson.

Roux, qui estimait le poids de l'inspecteur plus proche des cent vingt kilos que des quatre-vingts, pressentit que ce déjeuner ne serait pas une affaire de quarante minutes. Effectivement, à leur arrivée au Tout Va Bien, un bistrot à quelques rues du commissariat, après les poignées de main et les salutations que l'on réserve aux habitués, on les conduisit à une table dans une alcôve isolée, idéale pour une conversation en tête à tête. L'inspecteur Cholet s'assit le dos au mur. Une serviette à carreaux glissée dans le col de sa chemise, un verre de chablis à la main, il avait la mine d'un homme dont l'après-midi au bureau serait court.

Mais il l'écouta patiemment. Roux devinait qu'il était de ces hommes affables et gras qui dissimulaient derrière leur attitude bonhomme un esprit aiguisé. Roux avait opté pour une version édulcorée des découvertes de Valentin, à savoir que, selon une source confidentielle, Brossard avait séjourné à l'abbaye de Saint-Cros et en serait parti précipitamment le soir du meurtre. Roux insista sur le fait que si lui, l'officier chargé de l'affaire Brossard, confiait cette information à Cholet, c'était qu'il estimait que c'était son devoir, au cas où il y aurait un lien entre Brossard et le meurtre. En retour, il souhaitait savoir s'il existait des éléments que la police de Salon n'avait pas divulgués au public.

— Je suppose que vous savez que nous avons interrogé l'abbé de Saint-Cros ? demanda l'inspecteur.

— C'est ce que l'on m'a dit. J'imagine qu'il n'a pas reconnu avoir reçu un criminel recherché ?

— Il n'a rien mentionné de tel, en effet. Mais quand j'ai consulté nos archives, j'ai constaté qu'en 71, juste avant la grâce présidentielle, la police s'était rendue à l'abbaye pour enquêter dans ce sens. Les questions ont été sommaires, je l'avoue. Et, bien sûr, après le pardon, l'enquête a été reléguée aux oubliettes.

— Mais après, lorsqu'on l'a accusé de crimes contre l'humanité, l'enquête n'a pas repris?

L'inspecteur sourit et tendit la main pour remplir le verre de Roux.

— Officiellement, si. L'enquête, comme vous le savez, était conduite par la préfecture de Police, à Paris. Tout ce que je peux vous dire, c'est qu'à Salon on ne nous a jamais demandé de vérifier si Brossard se trouvait toujours dans la région.

— C'est étrange.

L'inspecteur haussa les épaules.

— Oui, je dois reconnaître que je trouve cela étrange, moi aussi. Il y en a qui disent que la police ne souhaitait pas vraiment lui mettre la main dessus. Comme je n'étais pas personnellement impliqué, j'ignore si c'est vrai ou non. J'espère que non. Quoi qu'il en soit, je peux vous assurer que, jusque-là, je n'ai reçu aucune instruction de mes supérieurs concernant mes relations avec vous. Vous pouvez donc compter sur ma totale coopération.

— Merci.

— Bien. Nous sommes collègues, donc. En ce qui me concerne, je me moque de savoir qui retrouve Brossard. Mon boulot est d'attraper les criminels. Je ne fais pas de politique. J'ai l'impression que vous non plus. Examinons donc les faits ensemble. Qui pourrait vouloir sa mort? Des parents des victimes, juives pour la plupart, peut-être? Je chauffe?

— Oui.

— Un groupe juif, donc, colonel. Pas une organisation ayant pignon sur rue, comme les Klarsfeld ou le Centre Wiesenthal. Ce n'est pas leur style. Mais peut-être des proches des victimes, des gens ayant un compte personnel à régler.

— Exactement.

— Connaissez-vous un tel groupe, colonel?

— Non. Pour l'instant ce n'est qu'une intuition, une supposition.

L'inspecteur se carra dans son siège en humant l'air.

— Vous sentez ça ? Je crois que c'est la bourride. Colonel, vous allez vous régaler. Un petit blanc ? demanda-t-il en tendant la bouteille.

— Oui, merci. Il est bon. Il vient de la région ?

— Du Lubéron. Nos vins se sont beaucoup améliorés depuis dix ans. Bon, pour revenir à votre supposition, colonel. La question que je me pose est la suivante : si cet homme était un assassin en puissance, et que Brossard l'a tué en état de légitime défense, pourquoi prendre son argent et ses papiers ?

— Sans doute pour faire croire que le mobile était le vol. Et empêcher qu'on remonte jusqu'à lui.

— Possible. Mais il a oublié une chose. Un détail que nous n'avons pas rendu public. Il y avait un revolver dans la boîte à gants de la voiture. Avec un silencieux. Pas le genre d'arme que trimballerait un touriste canadien en vacances en Europe. En plus, on avait effacé le numéro de série. Quant à ses vêtements – un pantalon, une chemise et un blouson –, ils étaient de marques françaises, pas américaines ni canadiennes.

L'inspecteur s'interrompit, reposa son verre et leva les mains en signe de bienvenue.

— Ah ! Voici la première partie de notre bourride. Et madame en personne ! Colonel Roux, je vous présente la mère Michèle, un de nos trésors régionaux.

La femme qui accompagnait le serveur serra la main des deux convives, puis surveilla en souriant le service de la soupe de poisson.

— Bon appétit, messieurs.

Après le départ de la mère Michèle, Roux goûta la bourride.

— Un délice. Nous ne devrions pas la gâcher en parlant boutique. Mais je dois dire que vos commentaires sur les vêtements et l'arme du mort ont éveillé mon intérêt. Le permis de conduire canadien était sans doute censé brouiller les pistes. L'homme était probablement français et parent de l'un des juifs de Dombey. Ils étaient tous citoyens français.

L'inspecteur secoua la tête, puis s'essuya la bouche avec une serviette.

— Un parent ? J'en doute.

— Pourquoi ?

— J'ai vu le corps. Il n'était pas circoncis.

— Vous êtes sûr ?

L'inspecteur hocha la tête.

— Tout à fait sûr. Nous avons lancé une recherche pour savoir s'il avait un casier. Ils auraient très bien pu engager un professionnel. J'ai envoyé ses empreintes à la préfecture et j'ai reçu un fax affirmant qu'on n'avait rien sur lui, ni à Paris ni dans les fichiers de la gendarmerie canadienne.

À cet instant, Roux eut l'impression que tous les bruits du restaurant, les conversations étouffées dans la grande salle, les cliquetis des couverts, le claquement des portes lorsque les serveurs sortaient de la cuisine, se fondaient en un rugissement confus et lointain. La préfecture de Police. Il fixait d'un air hébété l'inspecteur Cholet, qui regardait en souriant un serveur approcher.

— Ah ! La suite de notre bourride, colonel. Je crois que nous avons du turbot aujourd'hui.

18

Jérôme, le père hospitalier, traversa la cour de l'abbaye de Saint-Cros et entra dans l'atelier. Vingt moines étaient assis devant des tours de potier, tandis que six autres, installés à des tables à dessin, créaient de nouveaux modèles. Frère Julius et l'abbé discutaient à l'autre bout de la pièce.

— Oui, Jérôme ? demanda l'abbé qui l'avait vu entrer.

— Il y a un officier de l'armée dans le parloir, père abbé. Il désire vous parler. Il m'a donné sa carte.

L'abbé jeta un coup d'œil à la carte, puis la glissa dans la manche de sa robe. Il se tourna vers frère Julius.

— Au sujet de la cargaison pour Dijon, tenez-moi au courant quand ce sera prêt.

— Oui, père abbé.

— Faites-le entrer dans mon bureau, dit-il ensuite à Jérôme. J'y vais tout de suite.

Tandis qu'il traversait la cour et grimpait l'escalier en colimaçon, l'abbé sortit la carte et la regarda encore. La gendarmerie. La nouvelle juge a confié le dossier à l'armée. Et le dossier de Brossard mentionne qu'il a séjourné chez nous.

Dom Vladimir entra dans son cabinet de travail et s'approcha de la table rudimentaire qui lui servait de bureau. Il posa la commande de céramiques des Galeries Lebrun, à Dijon, dans la boîte où il rangeait le

courrier en instance. Au même moment, il entendit frapper. Il alla à la porte et tendit la main à son visiteur.

— Colonel Roux ? Bonjour. Entrez et asseyez-vous. Que puis-je faire pour vous ?

Il adressa à l'officier un regard appréciateur : uniforme, gants et tenue impeccables. Dans une autre vie, Dom Vladimir avait servi dans un régiment de cavalerie.

— Je ne sais pas si vous êtes au courant, mon père, mais c'est la gendarmerie qui est désormais chargée de retrouver Pierre Brossard. Je suis là, car j'ai pensé que vous pourriez peut-être nous aider dans nos recherches.

— Brossard ? Oui. Que désirez-vous savoir ?

— On m'a dit qu'il avait passé presque un mois ici cette année.

— On vous a dit ça, vraiment ? dit Dom Vladimir d'un ton glacial. Puis-je vous demander d'où vous tenez cette information ?

— J'ai peur que ce ne soit confidentiel, monsieur.

— Comme vous le savez peut-être, colonel, dans la plupart des ordres monastiques, y compris chez nous, l'identité des voyageurs à qui l'on offre l'asile est elle aussi censée rester confidentielle. Avant de répondre à votre question, j'aimerais donc savoir si vous tenez cette information d'une source laïque ou religieuse.

— Laïque, mais totalement digne de confiance.

Dom Vladimir leva les mains pour marquer son étonnement.

— Mais peut-on parler de source totalement digne de confiance dans une affaire pareille ? Que savez-vous des préjugés et des intérêts de votre informateur ?

— Je le crois désintéressé.

— Aucun informateur n'est totalement désintéressé, colonel. Pour être plus clair, laissez-moi vous parler de mes préjugés. Je suis fils d'aristocrates, de Russes blancs. J'ai servi le gouvernement de Vichy avant d'entrer dans les ordres et je crois que la miséricorde de Dieu l'emporte sur la justice des hommes. Pour moi,

cette croyance, ou ce préjugé si vous préférez, est essentielle dans cette affaire.

— Avec tout le respect que je vous dois, père abbé, pensez-vous vraiment que vous autres, religieux, avez le droit de pardonner les crimes de Brossard?

— Nous accordons notre pardon au nom de Dieu par le sacrement de la confession. Nous sommes censés l'accorder à tous les pécheurs qui se repentent sincèrement.

— Mais Brossard s'est-il jamais repenti, père abbé? D'après ses défenseurs, il a toujours prétendu qu'il n'était pas responsable des meurtres et des actes de torture qu'il avait commis. En tant que serviteur de Vichy et du maréchal Pétain, il affirme n'avoir fait qu'exécuter des ordres.

— Je ne suis pas son confesseur, je ne peux donc pas vous répondre. Mais Mgr Le Moyne, qui l'a entendu, m'a assuré que Brossard avait demandé pardon à Dieu pour ses péchés et qu'il avait reçu l'absolution. Le pardon chrétien est incompatible avec la vengeance, quels que soient les crimes commis.

— Mais vous vous rendez bien compte que c'est une déformation des enseignements de l'Église?

L'abbé explosa d'un rire furieux.

— Vraiment? Je vous en prie, colonel, éclairez-moi sur mon erreur.

— Je pense qu'un pardon qui ignore ceux qui ont été blessés et maltraités, et qui est juste accordé en échange d'un serment de repentance, fausse totalement la donne. Je pense que c'est confondre le pardon divin avec celui qu'un homme accorde à un autre. Dans ce cas, le pardon que Mgr Le Moyne a accordé à Brossard.

— J'ai peur de ne pas m'être bien fait comprendre, colonel. Mais puisque vous en parlez, vous devez vous souvenir qu'il y a bien eu un pardon officiel accordé par un homme : le président de la République, pour ne pas le nommer, a gracié Brossard en... quelle année était-ce ? 1971 ? Oui, 71. Le président d'alors, comme notre président actuel, croyait que le temps de la réconciliation, le temps d'oublier les torts et les rancœurs de l'Occupation, était venu. J'avoue partager cet avis.

— Père abbé, comme vous le savez, Brossard est accusé de crimes qu'aucun président n'a le pouvoir d'effacer et pour lesquels il peut être poursuivi dans le monde entier. Il doit être jugé pour crimes contre l'humanité. Il faut laisser la loi suivre son cours. Mais je ne suis pas venu ici ce matin pour vous demander d'agir contre votre conscience. Je suis venu vous demander de l'aide, car Brossard court un grave danger. C'est un vieil homme. S'il est arrêté et jugé devant un tribunal, soit il sera acquitté, soit il passera le restant de ses jours en prison. Dans un cas comme dans l'autre, il s'éteindra lorsque le temps qui lui était imparti sur cette terre sera écoulé. Mais si nous ne le trouvons pas et ne l'arrêtons pas dans les jours qui viennent, il risque d'être assassiné.

— Comment pouvez-vous dire cela ?

— Vous vous souvenez du touriste qui a été tué et dont la voiture a été jetée dans un ravin il y a quelques jours ? La police est venue vous voir à ce propos.

— Oui, bien sûr.

— Nous pensons à présent que le mort était un tueur professionnel. Nous croyons qu'il a été engagé par un commando juif, sans doute pour venger les hommes exécutés par Brossard à Dombey. Nous soupçonnons aussi ce groupe d'être en contact avec quelqu'un qui connaît ses habitudes, car Brossard suit toujours un itinéraire précis. Nous savons qu'au cours de l'année qui vient de s'écouler il est allé de refuge en refuge, restant rarement plus de quelques semaines dans un même lieu. Nous savons également que le cardinal Delavigne a demandé à ce qu'aucune porte catholique ne s'ouvre plus pour Brossard. À présent, il devra se cantonner aux établissements susceptibles d'ignorer les vœux du cardinal, aux intégristes, par exemple.

— Je n'en suis pas, déclara Dom Vladimir. Les intégristes ont été désavoués par Rome. Pourtant, je n'ai pas suivi les recommandations du cardinal, ce qui est mon droit le plus strict en tant qu'abbé appartenant à un ordre monastique.

— Mais sauriez-vous où je pourrais contacter ces intégristes ? Ou Brossard ?

L'abbé se leva et s'approcha de la fenêtre. Un soleil matinal voilé répandait ses rayons diffus sur les ravins hérissés de rochers qui entouraient les murs du monastère. Sans se retourner, l'abbé dit calmement :

— Vous n'êtes pas honnête avec moi, colonel. Cet assassin potentiel a été tué, non ? Et vous croyez que Pierre Brossard est coupable. Si je vous aidais à le retrouver, vous l'inculperiez pour ce meurtre.

— C'est l'affaire de la police de Salon, dit Roux. Et elle aura du mal à réunir un dossier qui se tienne. À l'exception de la légitime défense, je ne vois pas ce qu'elle pourrait trouver contre lui. J'imagine qu'un ancien milicien comme Brossard sait effacer les preuves. En fait, la police de Salon le soupçonne d'avoir volé les papiers de cet homme pour cette raison.

L'abbé s'arracha soudain à sa contemplation.

— La police croit donc que Brossard est l'assassin ?

— Oui.

— Et vous, colonel, qu'en pensez-vous ?

— Je crois aussi qu'il l'a tué. Et je suis presque certain que le commando enverra un autre tueur pour finir le travail. Ils semblent bien organisés et bien informés. C'est pour cela que je fais appel à vous. Nous devons trouver Brossard avant eux.

— Ou avant qu'il ne tue encore.

Il y eut un silence. Puis l'abbé retourna à son bureau, ses lourds godillots faisant craquer les lattes du plancher. Il s'assit, ouvrit un carnet de cuir usé et leva les yeux.

— Colonel, je vais vous aider de mon mieux. Pas pour sauver Brossard des balles d'un assassin, même si je ne tiens pas à ce qu'il soit tué. Mais parce que si ce que vous dites est vrai, j'ai stupidement protégé un meurtrier, un meurtrier qui, s'il est menacé, tuera peut-être encore. Je me rends compte à présent que je n'aurais pas dû ignorer les recommandations du cardinal.

Dom Vladimir s'interrompit et regarda son carnet.

— Je connais un peu les habitudes de Brossard. Depuis quelques années, il reçoit un soutien financier d'une organisation appelée les Chevaliers de Sainte-Marie. Vous avez peut-être entendu parler d'eux?

— Un groupe catholique laïque, n'est-ce pas?

— Oui, d'environ quatre cents membres, une organisation très conservatrice, mais qui compte aussi d'anciens résistants. Vous ne devez pas être sans savoir que beaucoup de résistants détestaient les communistes autant que les nazis. Certains d'entre eux sont devenus Chevaliers. C'est une sorte de croisade. Anticommunistes, antifrancs-maçons, anti-ennemis de la France.

— Et antijuifs?

— Pas ouvertement, non. L'évêque Grasset, qui dirige ce mouvement, appartient à l'Église. Les Chevaliers entretiennent des liens avec les intégristes, mais eux sont parvenus à rester au sein de l'Église catholique. D'ailleurs, chaque année, le jour du Vendredi saint, ils tiennent au Sacré-Cœur, et avec la bénédiction de l'Église, une cérémonie religieuse où ils défilent en cape de velours ornée d'une croix d'or brodée. L'âge de la chevalerie, les croisades, vous voyez le genre…

— Et vous dites qu'ils aident Brossard financièrement?

— Oui. Chaque fois qu'il est resté avec nous plus d'un mois, une lettre arrivait pour lui avec un mandat de 3 000 francs. Brossard nous demandait de l'encaisser pour lui. L'expéditeur n'était pas précisé mais, une fois, nous avons eu des problèmes pour l'encaisser et l'aumônier s'est renseigné. Il a découvert que l'adresse correspondait à celle des Chevaliers, à Paris. Lorsque Brossard séjournait chez mon ami Dom André Vergnes, à Aix, il recevait un courrier similaire là-bas. Dom André, qui connaît quelqu'un de haut placé chez les Chevaliers, lui a demandé s'il connaissait Brossard. L'autre a répondu : « Bien sûr, Pierre est l'un des nôtres. »

— Il est donc Chevalier ?

— Je le crois, oui. Et à partir de maintenant, il est presque certain que tous les religieux proches des Chevaliers vont se mobiliser pour l'aider. S'il suit son parcours habituel, vous pourrez le trouver à Villefranche. Je me souviens qu'il s'y arrêtait parfois, avant de poursuivre sa route jusqu'à Nice, où il y a un prieuré intégriste. Le supérieur de Villefranche est très conservateur.

— Vous avez son adresse ?

— Oui. Je vais vous la donner. Mais il y a autre chose qu'il serait peut-être bon de vérifier, bien que je ne sois pas sûr de ce que cela signifie. Lorsque Brossard était notre hôte, il avait pour habitude de se rendre presque tous les après-midi à Salon. Il passait son temps dans un bar appelé Le Montana. Il demandait souvent au père hospitalier s'il pouvait se servir du téléphone pour appeler là-bas. Le père Jérôme, qui a assisté aux appels téléphoniques, se souvient qu'il posait toujours la même question. Il demandait si sa lettre était arrivée. Parfois, quand on lui répondait que non, il devenait nerveux. Je ne sais pas si cela peut vous être utile, mais il me semblait important de vous le signaler.

— Vous avez bien fait, mon père. Et l'adresse du prieuré de Villefranche ?

L'abbé dévissa le capuchon de son stylo plume et se mit à écrire.

19

— Un petit blanc, inspecteur ? Et la même chose pour votre ami ?

Mme Marchand fit signe à son fils Jules, qui servait derrière le bar.

— Roger est à la cave, ajouta-t-elle. Je vous l'appelle.

Tandis que Jules posait les verres devant eux, l'inspecteur Cholet lui montra les photographies. Jules, qui n'avait guère plus de vingt ans, prit la seconde, celle de Brossard vieux, et rit. Jules portait une longue queue de cheval et un petit anneau en or à l'oreille droite.

— Oui, je crois que c'est lui. Quand j'y pense, quelle ordure ! Papa le connaît. Ils se sont disputés une fois.

Roger Marchand, le propriétaire du Montana, apparut en haut de l'escalier de la cave. Il serra la main de Cholet et on le présenta à Roux. Il examina la seconde photographie et émit un sifflement.

— Vous dites que c'est Brossard, le type qui a été gracié ? Celui dont parlait *Le Méridional* ?

— Lui-même, dit Roux. Bien sûr, la photo remonte à quelques années. Il a peut-être changé.

— Non, pas tant que ça. Merde, si j'avais su qui il était, je lui aurais filé un bon coup de pied au cul.

— Papa, tu te souviens de la dispute au sujet des Blacks ?

153

— Bien sûr. Tout s'explique maintenant. L'an dernier, un jour où il était ici, il m'a fait une crise de nerfs parce qu'un gosse noir s'était assis à la table voisine de la sienne. Ils ne viennent pas souvent ici, pourtant. Ils ont leurs cafés. Enfin, toujours est-il qu'il a commencé à s'exciter en disant que je ne pouvais pas demander à mes client de boire et de manger dans des tasses et des assiettes qui avaient servi à des sales nègres. Alors je lui ai dit : « Écoutez, vous n'êtes pas un habitué, vous venez juste de temps en temps et on est assez gentils pour recevoir votre courrier. Si vous avez un problème avec les Noirs, faites-vous adresser vos lettres ailleurs. »

— Mais il n'en a rien fait, j'imagine ? dit l'inspecteur Cholet.

— Non, il s'est écrasé.

— Et cette lettre ? demanda Roux. Vous ne vous souvenez de rien de spécial à son sujet ?

— Si. C'était un recommandé. Il fallait que je signe un papier. Elle venait de Paris. C'est tout ce dont je me souviens.

— Il en recevait souvent ?

— Une fois par séjour. En général, il restait quelques semaines, et elle arrivait un peu avant son départ.

— Il ne vous a jamais parlé de quoi que ce soit ? Il n'aurait pas rencontré des gens ici ? Vous ne savez rien qui pourrait nous aider ?

— Non, il ne parlait jamais à personne. Il venait l'après-midi et je me souviens qu'il lisait toujours *Le Monde* du début à la fin, et l'autre journal parisien, *Libération*. Il commandait un café ou une bière et restait ici pendant une heure ou deux. Je le prenais pour un retraité qui venait à Salon une ou deux fois l'an pour voir de la famille. À vrai dire, je ne faisais pas trop attention à lui.

— Il n'aimait pas ça, dit Jules en touchant sa boucle d'oreille. Ni mes cheveux longs.

— Vous le connaissiez sous quel nom ? demanda Roux. À quel nom était adressée la lettre ?
— Pouliot. Monsieur Pouliot, au Montana.

20

La juge Livi traversa la réception et vit le colonel qui l'attendait dans son bureau. Elle s'arrêta pour parler à sa secrétaire.

— Je ne veux pas qu'on me dérange. Je ne suis là pour personne.

Elle referma la porte derrière elle. Ils se serrèrent la main.

— Quand êtes-vous rentré ?

— Tard la nuit dernière.

— Satisfait ?

— Oui. Mais nous sommes sur la corde raide. Ou, du moins, je le suis. Madame, vous êtes ma supérieure hiérarchique dans cette affaire, et vous uniquement.

— Je ne comprends pas.

— J'ai besoin d'un mandat de perquisition pour fouiller un établissement religieux, et j'en ai besoin sur-le-champ. Il devra être rédigé dans le plus grand secret. J'ignore totalement s'il peut y avoir des fuites à la gendarmerie. Mais je sais maintenant que tout est possible. Nous ne pouvons pas faire confiance à la police, nous ne pouvons pas faire confiance au ministère, nous ne pouvons pas faire confiance à la DST. En fait, si nous voulons coincer Brossard, nous ne pouvons prendre le risque de révéler notre plan à aucun agent de l'État français. J'ai l'impression que nous sommes coincés dans un labyrinthe.

— Que s'est-il passé à Salon ?

— L'homme assassiné n'était pas juif. C'était sûrement un tueur à gages. Pourtant, lorsque l'inspecteur Cholet a envoyé les empreintes du cadavre à Paris, il a reçu un fax affirmant que la police n'avait rien sur cet homme. Si c'est un professionnel, il doit bien être fiché quelque part. Cela me laisse songeur. Et si Paris avait bien ces empreintes et les avait escamotées ?

— Mais pourquoi ?

— Je n'en sais rien. Comme je le disais, c'est un labyrinthe. J'ai découvert d'autres éléments dont je ne sais que penser. D'abord, Brossard reçoit de l'aide financière d'un groupe catholique d'extrême droite appelé les Chevaliers de Sainte-Marie. Depuis un certain temps, ils lui versent une pension de 3 000 francs par mois. C'est compréhensible. Mais ce n'est pas tout : il semblerait qu'il reçoive régulièrement une somme beaucoup plus importante de quelqu'un d'autre à Paris. Pourquoi ?

— Vous parliez de labyrinthe, renchérit la juge Livi. Cela fait quelques jours que j'erre moi aussi dedans et que je cherche mon chemin à travers des années de paperasse accumulée. Je suis tombée sur quelques faits surprenants. En 1961, à l'époque où des groupes extrémistes, qui luttaient pour l'Algérie française, posaient des bombes à Paris, le chef de l'unité antiterroriste du gouvernement a réussi à contacter Brossard en secret, par l'intermédiaire d'un avocat, pour lui demander d'être leur informateur, car on le savait lié à ces groupes. Il s'agissait pourtant d'un criminel en fuite. Vous vous souvenez qu'il avait déjà rendu des services à la police, juste après 1945.

— Oui, rue des Saussaies, où il a trahi son ami l'abbé Feren, et quelques autres.

— Et d'où il a pu s'échapper pendant que le commissaire était sorti déjeuner, compléta la juge. Comme par hasard.

— Un détail intéressant : le commissaire en question est à la retraite aujourd'hui. Il s'appelle Vionnet. On le cite aussi dans les dossiers sur les attentats liés à l'Algérie.

— Mais Vionnet n'appartenait pas à une unité anti-terroriste, si je ne m'abuse ?

— Non, il était dans la police classique. La DST a fait appel à lui en tant que relation de Brossard. Il vit à Avignon, à présent.

La juge s'appuya contre le dossier de sa chaise, les mains jointes comme pour prier, et adressa un petit sourire à Roux.

— Colonel, ne dirait-on pas que le commissaire a toujours su où trouver Brossard ? Que peut-on en déduire selon vous ?

— Que Brossard serait protégé non seulement par l'Église, mais par la police, voire par quelqu'un de haut placé au gouvernement ?

— Par les personnes qui lui envoient des courriers recommandés avec de quoi vivre largement, conclut la juge.

— C'est bien un labyrinthe. Avec Pierre Brossard au centre. Et c'est la raison pour laquelle je suis ici. Pouvez-vous me donner ce mandat sans que personne soit au courant ?

— Cet établissement religieux, où se trouve-t-il ?

— À Villefranche-sur-Mer, j'ai l'adresse.

— Bien, dit la juge en souriant. Lorsque ma secrétaire ira déjeuner, je le taperai moi-même.

21

Assis à une table, au bord de la piscine du Novotel d'Aix, trois touristes hollandais mangeaient des melons avec des cuillères en plastique. T. les trouvait vulgaires, surtout en maillot de bain. Il orienta son parasol de manière à ne plus les voir. Il essayait de lire un roman policier, car, ainsi qu'il l'avait dit une fois à Janine : « J'aime bien les contes de fées. » Le métier n'avait rien d'un polar. Il n'y avait pas d'inspecteur Maigret dans la vraie vie. Il y avait des types comme Pochon. Et qui aurait envie d'écrire un polar sur Pochon ? T. était nerveux. Vendredi après-midi, il avait appelé pour dire qu'il avait perdu la piste de Brossard et, depuis, il attendait. On était dimanche après-midi. Pas un mot. Aucune nouvelle, aucun ordre, rien. Il supposait qu'on n'avait toujours pas retrouvé sa trace. Il lut encore quelques instants. La cloche d'une église sonna. Elle avait ponctué toute sa journée. 17 heures. Il avait promis d'appeler Janine aujourd'hui pour lui dire quand il rentrerait. Sa fête était mardi. Il ne serait pas rentré. Elle serait furieuse. Elle comptait sur lui.

À midi, lorsqu'il était descendu à la piscine, il avait laissé la climatisation au maximum, mais sa chambre ne s'était pas rafraîchie. Il ôta le peignoir de l'hôtel et s'allongea sur le lit. Paris. Il composa le numéro.

— Allô, oui ?

Elle avait l'air de se réveiller.

— C'est moi. Ça va ?

— Non, ça ne va pas. Tu n'es qu'un salaud. Un menteur ! Où es-tu ?

— Comment ça, menteur ?

— Ton père n'est pas malade, il est mort.

— Qui t'a dit ça ?

— Ta sœur. Farah. Elle a laissé un message et son numéro sur ton répondeur. Je l'ai appelée. Tu ne m'avais jamais dit que tu avais une sœur.

— Je ne la vois quasiment jamais. C'est une emmerdeuse.

— Tu es à Bayeux ? Ne me mens pas, cette fois.

— Non, je suis sur un job. J'ai été retenu. Je t'appelais pour te dire d'annuler la soirée. Je ne serai pas rentré à temps.

— Où es-tu ?

— En Provence. Ça te va ?

— Tu travailles pour Mohammed ? J'espère que non, tu m'avais promis !

— Non, c'est autre chose. Écoute, je suis protégé sur ce coup. C'est tout ce que je peux te dire, mais c'est la vérité.

— J'ai commandé des pâtisseries arabes. Tes gâteaux au miel préférés. J'en ai pris pour dix.

— Pourquoi tu as fait ça ? Je t'avais prévenue que ce n'était pas sûr. Je t'avais dit que je te tiendrais au courant si je pouvais rentrer à temps.

— Oui, du chevet de ton père. Salaud. Je me sens idiote. J'ai déjà invité six personnes.

— Janine chérie, je suis désolé. Tu te souviens de l'horoscope que tu m'as lu ? Celui de *Elle*. Je l'ai cherché à Aix, mais je ne l'ai pas trouvé. Tu l'as toujours ?

— Alors tu es à Aix ?

— Ne t'occupe pas de ça. Tu l'as ?

— Je vais voir.

Il entendit ses pas sur le sol carrelé de la cuisine. Puis :

— Voyons. Vierge : « Avec Saturne en septième maison dans votre révolution solaire... »

— Passe. C'est la fin qui m'intéresse.

— Mmm... « Le 9, Mars entre en Lion et vous serez obligé de faire quelque chose qui pourrait vous causer un grand tort. Si c'est possible, refusez l'offre que l'on vous a faite. Ce n'est pas le moment de jouer au héros. »

— C'est ça, dit-il. Demain on est le 9. C'était juste pour savoir.

— Oui, eh bien dans ce cas, fais attention à ce que tu fais, demain ! Tu te rappelles la phrase qu'il y avait juste avant : « Vous devrez faire un voyage impromptu et renoncer à des moments agréables. » En plein dans le mille. Pas de pâtisseries pour toi.

— Je sais. Et c'est vraiment adorable de ta part d'y avoir pensé. Je suis désolé. Écoute, je t'aime. J'essaierai de t'appeler mardi.

— Qu'est-ce que je vais faire de toi, hein ? Allez, ça ne fait rien, prends soin de toi. Je t'aime aussi.

Il commençait à en avoir assez. Depuis deux jours, il n'avait pas osé quitter l'hôtel de peur de rater l'appel de Pochon. Et la nourriture du restaurant était abjecte. Mais il avait le pressentiment que Pochon allait appeler ce soir. Il avait vu juste. À 21 heures, un serveur vint le chercher à sa table alors qu'il terminait son dessert. Le serveur lui signala qu'il y avait un téléphone dans le renfoncement, à la sortie de la salle à manger, mais il préféra ne pas prendre l'appel en bas. Il monta dans sa chambre.

La voix de Pochon était froide et calme.

— Prêt ? Vous avez un crayon ?

— Oui.

— Villefranche-sur-Mer. À la sortie de Villefranche, pour être exact. Une abbaye située sur la Haute Corniche, à quatre kilomètres du Bristol. C'est un grand hôtel touristique, vous ne pouvez pas le manquer. Il doit se rendre au prieuré demain. Il arrivera d'Aix. Attention, il reconnaîtra votre voiture.

— J'y ai pensé. J'ai loué une voiture plus petite, au même nom.

— Mais vous ne pouvez pas louer un nouveau visage. Il a bonne mémoire.

— Oui, je sais.

— Souvenez-vous, le papier doit être épinglé sur lui.

— Je sais.

— Partez immédiatement.

— Compris.

22

Lorsqu'il s'assit à la table de la cuisine, il vit que Nicole avait laissé trois tartines dans son assiette. Beurrées, comme autrefois. Et un petit pot de confiture d'abricots. Elle savait qu'il aimait la confiture d'abricots. La veille au soir, elle l'avait prévenu qu'elle prendrait le bus de 7 h 30 pour La Napoule, afin d'être à l'hôtel à 8 heures, quand les premiers clients quittaient leur chambre. À son réveil, au lever du jour, il l'avait entendue vaquer dans la cuisine. Le chien avait gémi lorsqu'elle avait ouvert la porte pour sortir.

— Pauvre Bobi, pauvre Bobi. Bon chien. Je serai de retour ce soir.

Elle avait laissé du café. Il se servit. Ce sont peut-être les derniers mots que je lui entendrai jamais prononcer. Elle me manquera. C'était bien, ce petit séjour à Cannes, ça m'a détendu. Personne au monde ne savait que j'étais là. Vivre dans un appartement comme un homme ordinaire, manger de vrais repas, se saouler avec du bon vin… Ça change des cellules monacales et du rata qu'on nous sert à la table du réfectoire, tandis qu'un frère nous lit la vie de saint François d'Assise.

Il étala une couche généreuse de confiture sur ses tartines. De la confiture d'abricots, et hier midi, un cassoulet. Les femmes n'oublient pas ce genre de détail. Elle a beau me détester, elle y a pensé. Pauvre Nicole, elle n'a jamais compris. Je ne voulais pas la quitter.

Mais je le devais. Ils étaient à mes trousses. Je ne pouvais plus vivre normalement. Dire qu'après toutes ces années elle s'est souvenue de ce qui me faisait plaisir. Moi aussi, je vais lui faire plaisir. À son retour, j'aurai disparu. Elle l'aura vite gagné, le fric du juif. Seulement deux jours à me supporter. C'est drôle, après toutes ces années à suer pour chaque sou, voilà que je ne peux même plus dépenser mon argent. Dans chaque couvent, dans chaque monastère, je dois faire le mendiant, pour qu'ils aient le sacro-saint sentiment d'accomplir leur devoir chrétien en m'hébergeant. Quelle blague ! Après la guerre, tout ce que je souhaitais, c'était mener une petite vie tranquille : Nicole, et des mioches, pourquoi pas ? Et qu'est-ce que j'ai eu ? Une vie de mendiant à la porte des monastères.

Regardez qui voilà ? Oui, Bobi, je suis là, dans la cuisine, viens. Tu as peur de moi, hein mon chien ? Espèce de vieux clébard débile ! C'est ça, va te terrer sous l'évier. Tu te crois à l'abri là-dessous ? Tu crois que je ne pourrai pas t'attraper ? Eh bien, on verra ce qu'on verra ! Oui, on verra ce qu'on verra.

Lorsqu'il avait téléphoné au commissaire, la veille, il lui avait dit qu'il se trouvait encore à Aix et qu'il partirait le lendemain matin. Il y avait deux heures de route entre Aix et Villefranche. Il était censé appeler le commissaire dès son arrivée. Celui-ci attendrait son coup de fil aux alentours de midi. Mais Villefranche se trouvait à deux pas de Cannes par l'autoroute. Inutile de se presser. Il décida d'aller jusqu'à la Croisette et de flâner sur le bord de mer. Cela lui rappellerait ses jeunes années, quand il rôdait furtivement entre les parasols sur la plage de galets, tâchant de se rapprocher des filles qui bronzaient, allongées sur des matelas pneumatiques.

Laisserai-je un mot à Nicole ? Oui. Je lui dois bien ça. Qu'elle sache à quoi s'en tenir. Il griffonna : *Au revoir. Merci. P.* au dos de l'emballage rose d'une pâtisserie du quartier, dans lequel elle avait rapporté la veille une religieuse et un napoléon, bien enveloppés dans leur papier enrubanné. Ses gâteaux préférés. Qui d'autre savait ou se rappelait ce qu'il aimait ? Personne. Ma sœur, à La Rochelle, refuse d'admettre mon existence. Ni enfant ni famille. Personne à part Nicole, que j'ai dû abandonner. Comment s'étonner qu'elle me déteste ? Personne ne m'aime, personne ne se soucie de moi. Non, c'est faux. J'ai des ennemis, au moins.

Il posa le message à côté de la cuisinière. Elle ne pourrait pas le rater. Le vieux chien, couché sous l'évier, eut le malheur d'émettre un grognement effrayé. Le vieil homme regarda ses yeux aveugles. Pourquoi grognes-tu ? Il visa et lui décocha un coup de pied dans la gorge. Le chien faillit s'étrangler puis se mit à hurler.

— Ta gueule ! lança-t-il d'une voix qui fit taire l'animal sur-le-champ.

Satisfait d'avoir été obéi, il retourna dans la chambre, fit ses valises et quitta l'appartement, verrouillant derrière lui avec sa clé.

Cannes était une ville sûre, enfin relativement sûre, dans la mesure où il était devenu célèbre. Il gara sa voiture et fit quelques pas sur la Croisette, des lunettes noires sur le nez et un chapeau sur la tête. Les stations balnéaires fourmillaient de touristes, de gens qui ne se connaissaient pas. Les habitants voyaient tellement d'étrangers qu'ils ne remarquaient plus personne. Quant à ceux qui guettaient les célébrités, ils ne s'intéressaient qu'aux vedettes de cinéma. Ils se moquaient bien d'un homme « deux fois condamné à mort », dont la dernière photo publique était un cliché de police vieux de quarante ans.

Mais était-il vraiment en sécurité ici ? Était-il vraiment en sécurité dès qu'il mettait le nez dehors ? Il déambulait sur la Croisette, ignoré des bonimenteurs qui vendaient des excursions touristiques, des photographes de rue qui proposaient des portraits-souvenirs, des adolescents livrés à eux-mêmes qui mendiaient quelques pièces. Il n'était un client potentiel pour aucun d'entre eux. Il ne ressemblait pas à un touriste, mais plutôt à un retraité, invisible, en particulier pour les jeunes en vacances, qui ne tenaient pas à ce qu'on leur rappelle la lèpre de l'âge. Pourtant, tout était possible : un flic ou un passant pouvait le reconnaître, il pouvait même tomber sur quelqu'un qui l'avait connu.

En arrivant à la hauteur des grands hôtels du bord de mer, il entendit un carillon d'église sonner dans une petite rue à l'intérieur de la ville. Il s'arrêta, face à la mer, le soleil brûlant sur ses joues. Il ferma les yeux et pria : « Ô mon Dieu, protège-moi, sauve-moi, accorde-moi le repos éternel. » Je dois prier plus souvent, je dois aller à la messe tous les jours, je dois être en état de grâce à chaque instant. Je suis vieux. Mon temps est compté. Et les juifs veulent ma peau. Ils m'attendent peut-être à Villefranche. Je pourrais aller ailleurs.

Il ouvrit les yeux et regarda la mer. J'ai de l'argent, j'ai de quoi vivre confortablement pendant des mois. Je n'ai pas besoin du paiement de Paris, ni de celui des Chevaliers. Pas tout de suite, en tout cas. Je pourrais semer les juifs, prendre un vol pour Paris aujourd'hui. Demain, je serais à Rouen ou à Coutances. Dans un endroit où je ne vais jamais.

Il avait beau laisser son esprit jouer avec cette idée, il savait qu'il ne le ferait pas. Il devrait en parler au commissaire et celui-ci mettrait son veto. Le commissaire lui avait répété maintes fois que l'Église devait être son refuge, que nulle part il ne serait plus à l'abri. Surtout maintenant que ce n'est plus la police qui est chargée de mon dossier. Si je m'enfuis en Normandie sans rien dire au commissaire, je peux dire adieu à son aide. Non, il faut que je continue.

Il se détourna de la mer. Le carillon se tut. Il frissonna sous le soleil. Ces cloches. Quel son funèbre !

23

À la sortie de l'autoroute Nice-Monaco, lorsque T. prit la route en lacets qui menait au port et à la station balnéaire de Villefranche, il faisait nuit. Il était inquiet à l'idée de trouver tous les hôtels complets. Effectivement, on le refusa d'abord au Welcome, sur le front de mer, puis au Versailles, au Bahia et au Provençal. Il était plus de minuit lorsqu'il trouva une chambre dans un hôtel minable, au fond d'une impasse, en plein cœur de la ville. Il détestait ce genre d'endroit. Cela lui rappelait Sète et son enfance. Pas de toilettes dans les chambres, pas de douche, pas de télé, rien. Un lit une place, au matelas bosselé et traversé d'un profond sillon, où un millier de voyageurs s'étaient tournés et retournés, comme il le fit toute la nuit.

Il avait laissé sa voiture dans le parking de la place Saint-Michel, dans le centre-ville. Il se leva dans l'obscurité, au petit matin, se rasa et s'habilla à la lumière d'une misérable ampoule dans la salle de bains crasseuse au bout du couloir. Lorsqu'il prit le chemin de la place, les cafés étaient en train d'installer leurs tables et leurs chaises sur les terrasses. Un serveur jeta de l'eau sur le trottoir, d'où s'éleva un nuage de vapeur. Le soleil était déjà chaud. Il y avait un kiosque juste à côté du café qu'il avait élu. On y vendait des journaux, des fanzines, des cartes postales et des cartes routières. Il demanda une carte détaillée de la région. Au moment de payer, il remarqua une pile de *Nice-Matin* sur le comptoir. Il ne lut pas la une. Il lut la date : « Lundi 9 mai 1989 ».

Il s'assit dehors et commanda un café et une brioche. La Haute Corniche se trouvait au-dessus de l'autoroute Nice-Monaco. T. laissa sa brioche et paya. Il alla récupérer sa voiture dans le parking souterrain de la place Saint-Michel et quitta la ville, la carte posée à côté de lui. Dix minutes plus tard, il dépassait l'hôtel Bristol, situé à quatre kilomètres du prieuré. La route de la Haute Corniche était bordée de villas élégantes, dissimulées derrière des murs de pierre et des bosquets d'arbres. L'endroit était calme, sans un seul magasin. Mais T. voyait bien qu'il ne pourrait pas le faire ici. Il y avait déjà du monde sur la route : des camions de livraison, des voitures et des cars de touristes. La circulation allait sûrement s'intensifier au cours de la journée.

Le prieuré apparut enfin. Derrière des murs de pierre de trois mètres de haut, un toit de tuiles rouges pointait au-dessus d'une frise de platanes. Rien n'indiquait qu'il s'agissait d'un établissement religieux, si ce n'est une croix rouillée, perpendiculaire à l'entrée. À première vue, il ne voyait nul endroit discret où se garer. Par chance, il trouva ce qu'il cherchait cinquante mètres plus loin. Dans un virage, un panneau indiquait : PANORAMA. La planque idéale. Il fit demi-tour pour se placer face au prieuré et contempla le lourd portail de bois. Le 9 mai.

Un horoscope est un avertissement, non ? Il te dit ce que tu devrais faire et ne pas faire. Il te dit quand tu seras en veine et quand tu ne le seras pas. Ça ne signifie pas qu'une catastrophe va me tomber dessus aujourd'hui, non, ça veut juste dire que le 9, je vais devoir faire quelque chose de potentiellement dangereux. Il dit que *si possible*, je devrais refuser l'offre que l'on m'a faite. *Si possible*. Qu'est-ce que ça signifie ? Ça ne signifie pas que je dois laisser tomber mon contrat !

Non, c'est un avertissement. Oui c'est ça, un avertissement : *si possible*, ce serait mieux d'agir un autre jour.
Donc, voilà ce que je vais faire. Si le vieux se pointe ce
matin et prend ses quartiers ici, je peux parfaitement
tenir compte de l'avertissement. Je le surveille. Je le
suis quand il sort, mais je ne le descends pas aujour-
d'hui. Demain, on est le 10. J'attends demain.

Puis il se souvint du juif de Saint-Germain-des-Prés,
il entendit résonner sa voix tranquille : « Vous devez le
tuer à la première tentative. Ou vous n'aurez peut-être
pas de seconde chance. » Et il m'a déjà vu. Soixante-
dix ans ou pas, il est vif. Et puis merde ! Ce n'est qu'un
horoscope !

Quand même : « *Ce n'est pas le moment de jouer au
héros.* »

24

Juste avant midi, le matin du 9 mai, lorsque le capitaine Daniel Dumesnil revint à son bureau, l'adjudant Picot lui tendit un bout de papier.

— Un certain colonel Roux a téléphoné de Paris. Il a laissé ce numéro. Il voudrait que vous le rappeliez dès que possible. Une affaire privée.

— Quand a-t-il appelé ?

— À 10 h 30.

Il se rendit dans son bureau et ferma la porte. Une affaire privée. C'est curieux. Robert est chargé de l'affaire Brossard... Est-ce que ça aurait un rapport ?

Il prit le téléphone. Une voix qu'il connaissait depuis l'époque où ils avaient fait leur formation ensemble répondit :

— Roux à l'appareil.

— Robert, c'est Daniel.

— Daniel, tu vas bien ? Et les enfants ?

— Très bien, très bien. Et Claire ?

— En pleine forme. Elle vous embrasse, Martine et toi. Écoute, je dois venir dans ton secteur.

— Quand ça ?

— Cet après-midi. Et j'ai besoin de ton aide. Plus précisément, j'ai besoin de quatre de tes meilleurs hommes pour deux ou trois jours. Et d'un véhicule.

— Que se passe-t-il ?

— Je te le dirai quand on se verra. Entre-temps, je veux que personne, et je dis bien personne, ne sache que je suis à Nice, ni pourquoi. Tu peux arranger ça ?

— Je peux te donner deux adjudants et deux maréchaux des logis-chefs. Ce sont des as.

— Magnifique. J'aurais besoin d'eux immédiatement. C'est possible ?

— Oui.

— Il m'en faudrait deux en planque à Villefranche. Il s'agit d'un prieuré carmel qui se trouve sur la route de la Haute Corniche. L'homme que je cherche est âgé et conduit probablement une Peugeot blanche de 1977.

— Brossard ?

— Tout juste. Tu dois avoir une photo dans tes fichiers. Montre-la à tes hommes. Si quelqu'un correspondant à son signalement sort du prieuré, je veux qu'ils le suivent. Même s'il quitte la ville. Ils ne doivent pas le perdre. Méfie-toi. C'est un véritable Houdini. Ils ne doivent dire à personne qui ils surveillent. Entendu ? À personne. Est-ce que tu peux lancer la surveillance immédiatement ? Notre homme est peut-être déjà en route pour le prieuré.

Dumesnil regarda sa montre.

— Si je veux mettre ma meilleure équipe sur le coup, je dois d'abord les rappeler, ils sont sur d'autres missions. Je ne peux rien te garantir avant 14 heures.

Il sentit Roux hésiter, puis :

— 14 heures, c'est parfait. Notre homme ne pointera peut-être pas son nez avant et, de toute manière, il y a de fortes chances qu'il ne bouge plus une fois sur place. J'arrive. Si vous êtes là-bas à 14 heures, on devrait pouvoir pénétrer dans le prieuré à 16. Villefranche est à quoi ? À dix minutes de Nice ?

— Sept kilomètres.

— Bien. Et rappelle-toi, Daniel, nous marchons sur des œufs.

— Propriété du clergé, droit d'asile et *tutti quanti* ?

— Oui. Mais j'ai un mandat de perquisition.

25

Jusqu'en 1930, date à laquelle son propriétaire mourut en léguant les lieux à l'ordre du Carmel, le prieuré de Saint-Michel-des-Monts s'appelait la Villa Del Lago. La demeure, de style méditerranéen, située sur la Haute Corniche, au-dessus de Villefranche-sur-Mer, possédait quelque trente pièces et était entourée de huit mille mètres carrés de jardin. Le domaine comprenait aussi des écuries et une piscine. Les carmes avaient converti les écuries en chapelle, planté une croix sur le toit, mais laissé la villa intacte. Dix-huit moines contemplatifs vivaient ici, sous la direction du prieur Dom Henri Arminjon, natif de Nantes et auteur de plusieurs ouvrages sur la théologie mystique. Les carmes, pour obéir aux vœux du propriétaire défunt, ouvraient leurs portes quatre fois l'an à des hommes d'affaires désireux de se retirer du monde pendant quinze jours.

Il songeait justement à ces retraites lorsqu'il franchit le portail au volant de sa Peugeot. Il espérait qu'aucune n'était en cours actuellement. Sinon, il devrait rester caché dans le pavillon du jardinier, à l'autre bout du domaine. En tout cas, retraite ou pas, ici, il était sûr d'être le bienvenu. Le prieur l'intimidait, mais il admirait cet homme digne et réservé que les Chevaliers considéraient comme un futur saint.

Tandis que sa voiture roulait sur le chemin de gravier qui conduisait à la splendide bâtisse rose, il se prit à espérer qu'ici il pourrait enfin se permettre un séjour un peu plus long.

Le père hospitalier, dont il avait oublié le nom, descendit les marches de marbre en souriant et lui adressa un signe.

— Monsieur Pierre ! Comment allez-vous ?

Il descendit de voiture et ils se serrèrent la main.

— Quelle joie d'être de retour ici ! Votre jardin est splendide cette année. Il y a une retraite en ce moment ?

— Non. Mais la prochaine débute après-demain. Je ne pourrai malheureusement pas vous recevoir dans le bâtiment principal. Vous devrez vous contenter du pavillon du jardinier.

Il adressa un sourire reconnaissant au prêtre.

— Que Dieu vous bénisse, mon père ! Ce sera parfait. Et plus privé, si vous voyez ce que je veux dire.

— Tout à fait. Je dois avertir le père Joseph de votre arrivée. C'est juste une formalité, j'en suis sûr, mais il préfère être tenu au courant. Notre prieur se trouve à Rome actuellement et le père Joseph le remplace.

Le pavillon du jardinier était situé au fond de la propriété, au milieu d'un potager. Il prit la clé que le père hospitalier lui avait donnée et ouvrit la porte. Une petite couleuvre apparut sur la marche de pierre qui menait au salon. Il fit demi-tour pour aller chercher le cric dans la voiture, avec l'intention de la tuer, mais, à son retour, le serpent avait disparu. L'incident lui rappela qu'il n'avait pas d'arme sur lui. *Après ce qui est arrivé à Salon, je devrais toujours avoir un revolver sur moi, même dans un lieu aussi sûr que celui-ci.*

Il le prit dans la boîte à gants et le glissa dans la poche de sa veste, puis transporta péniblement ses trois valises à l'intérieur. La dernière, celle qui renfermait ses « souvenirs », était si lourde qu'il eut du mal à la hisser jusqu'en haut du perron. Elle n'était pas fermée à clé. Il l'ouvrit pour en examiner le contenu : croix de fer, casquettes de l'Afrika Korps, insignes SS, drapeaux et bannières nazis. Je n'ai plus besoin de l'argent que ces babioles me rapportaient. Il serait plus raisonnable de contacter mon intermédiaire à Lille. Les gosses trouvent ce bazar romantique. Je pourrais lui faire un prix pour le tout. Il le fourguera à des skinheads et on n'en parlera plus. Oui, c'est la meilleure chose à faire.

Il entendit un bruit dehors. Il referma aussitôt la valise et s'approcha de la fenêtre qui donnait sur les rangées de légumes. Un moine, sa longue bure couleur brique retroussée aux genoux, sarclait près du tas de fumier. Il se redressa au grincement du portillon de bois qui laissa passer le père Joseph Cartier.

Joseph ? Il vient me voir.

L'aumônier du prieuré, le père Joseph, était son condisciple à l'école Saint-François-de-Sales de Toulon, au début des années 30. Leurs pères, sergents dans l'armée, avaient servi dans le même régiment pendant la Première Guerre mondiale. Tous deux lecteurs assidus de *L'Action française,* ils avaient enrôlé leurs fils chez les scouts catholiques et dénonçaient haut et fort la IIIe République corrompue par les juifs, les francs-maçons et les communistes. Pour toutes ces raisons, Joseph Cartier et lui auraient dû s'entendre comme des frères. Cependant, ils ne s'étaient jamais beaucoup aimés. En le regardant approcher sur le sentier qui menait au pavillon, il se demanda s'il pouvait compter le religieux parmi ses alliés. C'était le prieur qui le protégeait ici. Joseph était plus timide, plus distant. Frêle, taciturne, l'esprit tourné vers Dieu, il avait tout du contemplatif.

Mais c'était à Joseph qu'il aurait affaire aujourd'hui. Il ouvrit la porte et s'avança au soleil, souriant, la main tendue en geste de bienvenue. L'aumônier, qui, soit n'avait pas remarqué son geste, soit avait décidé de l'ignorer, le salua d'un léger hochement de tête, sans sortir ses mains enfouies dans les plis de son habit.

— Ah ! Pierre.

— Alors, il paraît que maintenant, c'est toi le chef ici, Joseph ? Ça fait quel effet ?

Il rit, pour montrer qu'il plaisantait. Mais Joseph choisit de répondre à sa question.

— C'est une responsabilité dont je me passerais bien. Surtout depuis que tu es ici.

Joseph se tourna pour regarder les rangs de légumes. Le moine qui sarclait n'était pas à portée d'oreille.

— Nous avons une retraite qui va débuter après-demain, reprit Joseph. Il y aura des étrangers, des laïques partout. Ce n'est peut-être pas le meilleur moment pour une visite.

Allons bon. Les hommes du cardinal lui ont parlé.

— Je sais. Mais je me ferai discret, je te le promets. Pour être honnête, il me reste très peu d'options. La semaine dernière, les juifs m'ont envoyé un tueur. J'ai été épargné, Dieu soit loué. Mais nos ennemis me cernent. J'ai besoin d'amis, aujourd'hui plus que jamais.

Il attendait, les yeux fixés sur le religieux. Une fois de plus, son instinct ne l'avait pas trompé. Joseph était passé de l'autre côté.

— Comme tu le sais, le prieur se trouve actuellement à Rome. Je ne pense pas qu'il rentrera avant une semaine. Il faudra donc que je prenne cette décision seul.

— Bien sûr. Mais comme tu le sais aussi, Dom Henri m'a toujours soutenu. Nous avons la même opinion sur le monde d'aujourd'hui. Je suis sûr qu'il ne m'abandonnerait pas dans un moment pareil.

— Tu as raison, reconnut Joseph. Et comme j'agis en son nom, je ne pense pas avoir le droit de te refuser l'asile, même si je sais que c'est contre le vœu du cardinal Delavigne. L'idée de lui désobéir me déplaît. Cependant, avant de partir pour Rome, Dom Henri a mentionné la recommandation du cardinal en disant qu'il ne l'approuvait pas. Bien sûr, ni lui ni moi n'imaginions te trouver si vite à notre porte. En fait, la question qui me préoccupe est : que dirait Dom Henri, sachant qu'une retraite débute dans deux jours ? Limiterait-il la durée de ta visite à ces deux jours ?

Lorsqu'ils sont passés de l'autre côté, il n'y a plus rien à faire. Mais pourquoi lui faciliter la tâche ?

— Joseph, je vais t'aider à prendre cette décision. Si je te dérange pendant la retraite, je partirai avant. Cependant, c'est une attitude qui m'attriste, surtout venant d'un ancien condisciple, dont le père était très proche du mien et qui a reçu la même éducation que moi.

— Oui, nous avons reçu la même éducation. Nous sommes tous deux les enfants d'une certaine Église. Une Église qui considérait que la société moderne faisait injure aux lois divines, une Église antidémocratique composée en majorité de prêtres et de laïques qui ont choisi de voir en toi une victime des francs-maçons et des communistes, une Église qu'on nous a appris à craindre et à redouter. Une Église qui t'a protégé en échange de ton allégeance, s'exonérant ainsi de sa responsabilité lorsque des milliers de juifs ont été envoyés à la mort, sans qu'elle dise un mot.

— Pourquoi tant d'amertume, Joseph ? Je ne me souviens pas que tu aies jamais secouru un juif.

— Tu as raison. J'ai choisi de devenir moine, de me retirer du monde et de consacrer ma vie à Dieu. Mais cela signifiait-il que Dieu m'autorisait à ignorer ce qui se passait dans le monde ? Comment ai-je pu détourner les yeux et trahir la France ?

— De quoi parles-tu ? Trahir la France ?

— Mon silence était une trahison. Contrairement à toi, je ne croyais ni en Vichy ni en Pétain. J'avais honte quand la France s'est mise au service des nazis. Mais je n'ai rien fait. Je n'ai rien dit.

— Et les communistes… Tu crois vraiment que c'était un meilleur choix, alors que leurs armées violaient les femmes et razziaient l'Europe, alors que leurs agents juifs prônaient un État sans dieu ?

179

— Pierre, écoute, je t'ai maintes fois entendu exprimer ton opinion entre ces murs. Tu n'as jamais montré la moindre contrition pour les meurtres que tu as commis dans la Milice. Au contraire, tu les justifies continuellement. Tu prétends être pieux, tu prétends avoir trouvé Dieu, et je sais que tu as réussi à faire croire à de nombreux prêtres, même à ceux que tes actes horrifient, que tu as agi de bonne foi pendant la guerre. Tu les as abusés, mais tu ne peux pas abuser Dieu.

— Tu me chasses? Tu me pousses dans les bras des juifs qui essaient de m'assassiner? Très bien. Mais épargne-moi ton sermon. Tu essaies juste de te trouver des excuses. Tu as peur de moi, maintenant que je suis traqué, maintenant que les projecteurs sont braqués sur moi. Avoue-le. Et ne viens pas me dire que Dieu ne m'a pas pardonné. Qu'en sais-tu?

— C'est la vérité. Je suis désolé.

— Dans ce cas, je ne te demanderai qu'une chose. Je veux passer la nuit ici. Je dois m'organiser. Je veux être sûr que dans le prochain lieu où je demanderai l'asile, on me recevra dans l'esprit de charité et de miséricorde dont l'Église a toujours fait preuve envers les hommes comme moi.

Le religieux courba la tête et dit :

— Très bien, tu peux dormir ici ce soir.

Joseph repartit par le sentier. Il dépassa le moine qui sarclait à côté du tas de fumier et fit grincer le portillon de bois du jardin. Dans la chapelle, une cloche sonna. Le moine jardinier posa sa houe, fit le signe de croix et se mit à prier, immobile et silencieux. Au portillon, le père Joseph se signa également et inclina la tête.

Il regardait les deux hommes prier. L'angélus. Il est midi. Le commissaire attend mon appel. Mais pas ici. Je téléphonerai de Villefranche.

Cinq minutes plus tard, le père hospitalier, assis dans son bureau sous la porte cochère, vit la petite

Peugeot approcher dans l'allée. Il appuya sur le dispositif d'ouverture électrique du portail et les lourds battants s'écartèrent. Malgré l'absence de circulation, la voiture s'arrêta avant de s'engager sur la route.

Cinquante mètres plus haut, il y avait un panorama. Trois voitures étaient garées là. Une demi-douzaine de touristes se photographiaient avec le paysage en toile de fond. Ils avaient l'air inoffensifs, mais il prit la peine d'identifier le modèle de chaque voiture avant de s'éloigner en direction de Villefranche.

Tu ne peux pas abuser Dieu. Pourquoi Joseph m'a-t-il parlé ainsi ? Parce qu'il a toujours été de l'autre côté, parce qu'il est un ami des juifs. J'aurais dû m'en apercevoir avant. Quand je venais ici, il refusait toujours de parler de notre jeunesse. Maintenant, je sais pourquoi. *Tu ne peux pas abuser Dieu.* Mais je n'essaie pas de l'abuser ! Jésus, mon sauveur, moi qui t'adresse mes prières et te glorifie, je ne pourrai jamais te tromper. Je n'ai abusé personne, ni Mgr Le Moyne, ni l'abbé Feren. J'ai confessé mes péchés et j'ai reçu l'absolution. Il se trompe. Joseph ne comprendra jamais. Me repentir de ce que j'ai fait dans la Milice ? C'était juste, au regard de l'époque et de la guerre que nous menions. Pourquoi est-ce que je me mets dans un état pareil ? Je me sens faible, mon pauvre cœur. Je dois parler au commissaire. Tout va mal. Ça n'est jamais allé aussi mal. C'est peut-être le moment de lui demander de me faire quitter le pays. Il avait parlé de la Bolivie. C'était il y a des années, mais il a toujours souhaité que je parte.

Villefranche était comme un second foyer. En retrait, la vieille ville aux ruelles étroites était le cœur sombre du port. Du temps où la marine américaine faisait escale ici, elle abritait le quartier de la prostitution, loin des regards des touristes qui déambulaient le long de la promenade et mangeaient dans les restaurants du bord de mer. Il avait séjourné au prieuré si souvent, au cours des vingt dernières années, qu'il connaissait chaque venelle de la vieille ville. Il avait l'habitude d'aller dans un bar de la rue Obscure, un lieu où il était connu sans être connu, et où il s'était souvent fait envoyer son enveloppe. Il y avait une cabine téléphonique au fond de l'établissement.

En arrivant sur la partie inférieure de la corniche, au-dessus de Villefranche, il regarda à plusieurs reprises dans son rétroviseur. La troisième fois, il remarqua une Clio verte. Une des voitures, là-haut, était une Clio. Ce pouvait être une simple coïncidence. Il bifurqua pour entrer dans la ville, continuant à descendre vers la mer. Il fit une embardée et s'arrêta le long du trottoir. La Clio verte le dépassa et fila en direction du port de plaisance. Il repartit. Dans le parking souterrain de la place Saint-Michel, il ferma la Peugeot à clé et emprunta la rue étroite et pentue qui menait au passage couvert que l'on appelait la rue Obscure. Il se sentait encore faible. Sa bouche était sèche et il avait faim. Après avoir téléphoné, je prendrai une bière et je grignoterai quelque chose.

Alors, est-ce que j'en parle au commissaire ? Vais-je moi aussi me retrouver avec un passeport du Vatican ? Finirai-je mes jours assis dans un immonde bastringue, entouré de métèques malpropres, dans un pays envahi par les insectes, un pays presque noir ? Ai-je réellement le choix ? Même avec l'aide des Chevaliers, peu d'endroits m'accepteront à présent. Et la plupart seront des établissements intégristes. Autrement dit : lectures pendant les repas, veillées de prière et pas de télé. Au moins, dans un autre pays, je pourrai me reposer, vivre dans un appartement, manger ce dont j'ai envie quand j'en ai envie. Que dois-je faire, tâter le terrain avant de lui parler du passeport ? Va-t-il se fâcher ?

Il passa devant des magasins familiers, des bars, des étals de légumes, puis il s'enfonça dans la rue Obscure. Au milieu se trouvait le bar Les Antilles, avec sa terrasse rarement utilisée, son rideau de perles à l'entrée et, à l'intérieur, des banquettes, un baby-foot démodé et un petit comptoir de zinc contigu à la cuisine. Il écarta le rideau et s'enfonça dans les ténèbres. Il y avait seulement quatre clients : deux vieillards qui jouaient aux dames et un couple d'alcooliques assis sur une banquette, muets devant leur Ricard. Au bar, Max Pellan, le propriétaire, lisait la page sportive de *Nice-Matin*. Il leva les yeux et ses lunettes glissèrent au bout de son nez empourpré.

— Ah ! Monsieur Pierre ! Comment ça va ? De retour parmi nous ?

— Je ne fais que passer, cette fois.

Ils se serrèrent la main.

— Qu'est-ce qu'on vous sert, monsieur Pierre ?

— Je mangerais bien un pan-bagnat. Vous en avez aujourd'hui ?

Max regarda dans la petite cuisine derrière le bar, où sa femme hachait des oignons.

— Clotilde, un pan-bagnat, c'est possible ?

— Oui.

Max se retourna, remontant ses lunettes sur son nez.

— Vous prendrez quelque chose à boire ?

— Une bière. Mais d'abord, je dois passer un coup de fil. Je peux avoir un jeton ?

Max plongea la main dans une boîte métallique et lui tendit deux jetons.

— Allez-y.

Juste derrière le zinc, un couloir menait à la cabine téléphonique, en face des toilettes. Tout au bout, une sortie de secours verrouillée et barrée. Il pénétra dans la cabine et referma derrière lui la porte vitrée en accordéon. Il hésita un instant, s'efforçant de réunir son courage. Le passeport, oui ou non ? Qu'est-ce que je lui dis ?

Il composa le numéro d'Avignon.

— Allô ?

— Bonjour, madame. Monsieur Pierre à l'appareil. Votre mari est-il là ?

— Un instant, je vous prie.

En attendant, il jeta un coup d'œil par la vitre en direction du bar. Personne. Détends-toi. Pourquoi devrais-je avoir peur de lui ?

— Oui ?

La voix du commissaire. Soudain, il eut l'impression que les années s'étaient envolées comme les feuilles d'un arbre. Il était de nouveau face à cet homme qui lui faisait peur, comme le commandant Lecussan dans la Milice. Ce genre de personnage avait le don de vous terroriser. Lui qui savait si bien charmer les abbés et les pontifes n'était jamais parvenu à rien avec le commissaire. Ce dernier l'avait toujours traité en homme dont le silence avait été acheté et que l'on pouvait écraser. Dire qu'à présent il avait une grosse faveur à lui demander.

— C'est moi, monsieur. J'avais promis de vous appeler en arrivant à Villefranche.

— Vous y êtes déjà ?

— Oui. Mais j'ai peur qu'il n'y ait un problème. Le prieuré ne m'acceptera que pour une nuit.

— Quoi ?

La voix du commissaire s'était élevée d'un cran.

— Il y a une retraite pour un groupe de laïques qui débute dans deux jours. En plus, j'ai l'impression qu'ils ont peur. Les hommes du cardinal leur ont parlé.

— Mais vous allez quand même passer la nuit sur place ?

— Oui, monsieur.

— Et après ?

— Demain, j'irai à Nice. Je ne pense pas qu'il y ait de problème là-bas. Dom Olivier, le prieur général, est un grand ami des Chevaliers.

Tandis qu'il parlait, il entendit des pas derrière lui dans le couloir. Il se retourna et n'eut que le temps d'apercevoir un jeune en blouson bleu, coiffé d'une casquette de base-ball américaine, s'engouffrer dans les toilettes et refermer la porte derrière lui. Il n'avait pas vu le visage du gosse.

— Oui, je connais Dom Olivier, dit le commissaire. Vous devriez être en sécurité là-bas. Appelez-moi demain en arrivant.

Il hésita, berçant le combiné entre son épaule et son oreille. Il se tourna pour jeter un autre regard à la porte des toilettes. Qui est ce gosse ? Voilà où j'en suis. Je ne peux plus tourner le dos à personne. Jour et nuit. Il faut vraiment que je parte.

— La situation devient problématique. Je ne pourrai pas rester à Nice très longtemps. Même dans ces cercles, les rumeurs finissent par se propager. Il faudra que je reprenne la route rapidement. Monsieur, je crois qu'il est temps de changer de plan. Je voudrais partir à l'étranger.

Avignon ne répondait pas. Il fit une autre tentative.

— Il y a une époque où vous me pressiez de prendre cette décision. Vous vous souvenez ?

— C'était il y a quelques années.

— Mais est-ce toujours possible ? Je pense que ce serait une bonne solution pour toutes les parties concernées, qu'en dites-vous ?

— Je n'ai aucune opinion sur la question, dit le commissaire.

Il n'avait pas l'air furieux, c'était déjà ça.

— Il faut que je réfléchisse. Entre-temps, rappelez-vous : nous vous payons, nous vous protégeons. Vous remplissez votre part du contrat et nous remplissons la nôtre. Gardez votre calme. Nous allons trouver une solution.

— Mais comment voulez-vous que je garde mon calme ? Je ne peux pas relâcher mon attention, pas une seule seconde. Ils ont quand même essayé de me tuer deux fois, d'abord à Salon, puis à Aix. Je suis en danger, plus que jamais.

— À votre place je ne m'inquiéterais pas, dit le commissaire. Vous avez semé leur deuxième homme, après tout. Écoutez-moi. Je n'ai pas eu le temps de vous le dire, mais la police sait qui est ce groupe. Elle travaille sur l'affaire. Je pense que bientôt vous n'aurez plus à vous inquiéter.

Pouvait-il le croire? Ou voulait-on juste éviter qu'il ne perde son sang-froid?

— Si vous dites vrai, monsieur, c'est une très bonne nouvelle.

— Bien sûr que je dis vrai! Appelez-moi demain.

— D'accord, et merci.

Il entendit le commissaire raccrocher, puis il s'efforça de se remémorer les mots exacts de leur conversation. C'était humiliant, mais depuis quelque temps il oubliait souvent ce qu'on lui disait, lui qu'on avait surnommé « la Mnémosyne du deuxième service ». Le commissaire n'avait pas refusé. Il ne s'était pas fâché. Il avait dit : « Il faut que je réfléchisse. » Eh bien, il a intérêt à ne pas se contenter d'y réfléchir. Ça ne peut pas continuer comme ça. Même s'ils retrouvent ces juifs, j'ai la gendarmerie aux fesses maintenant, et rien n'arrêtera ces salopards de militaires, sans parler de la juge d'instruction, cette juive qui cherche à se venger. La Bolivie. N'importe où, mais loin d'ici.

Il sortit de la cabine et retourna au bar. Un demi l'attendait au bout du comptoir, avec une serviette en papier, une fourchette et un couteau. Max, qui cochait sa sélection sur la page des courses, humidifia la pointe de son crayon avec la langue et dit, comme s'il se parlait à lui-même :

— Athos.

— Athos? répéta le vieil homme en s'asseyant sur un tabouret.

— 15 heures à Auteuil, répondit le cafetier. Je sens bien ce cheval. Clotilde?

— Ça vient.

Mme Pellan, mince et voûtée, sortit de la minuscule cuisine avec un sandwich entouré d'olives noires sur une assiette.

— Je rêvais de ce pan-bagnat, lui dit-il. Madame Clotilde, vous faites le meilleur pan-bagnat de toute la Provence.

— Merci et bon appétit, monsieur Pierre.

Il mordit dedans. Du thon, de l'huile d'olive et des tomates dans un petit pain rond. Attention aux dents. Si je m'exile chez les métèques, je pourrai dire adieu aux pans-bagnats. Knab vit en Argentine à présent, sous le nom de Heller. Un passeport du Vatican. Mais c'était du temps de Pie XII. Maintenant, on a un Polack qui se balade dans le monde entier, un vrai représentant de commerce. Il célèbre la messe devant des sauvages qui vont cul nu et qu'il sacre cardinaux des nègres. De toute manière, si le Vatican ne peut pas m'aider, le commissaire Vionnet a de l'influence. Il travaille pour le préfet. Enfin, l'ancien préfet. Tout est une question d'influence, tout dépend de qui on est, de qui on a été. Ils parlent de justice, mais les charges contre moi et ce bon préfet sont exactement les mêmes : crimes contre l'humanité. Sauf que lui n'a jamais eu à fuir, il vit dans un grand appartement à Paris, on l'invite aux réceptions officielles, il voit ses petits-enfants toutes les semaines. Pourquoi s'inquiéterait-il alors que les juges d'instruction successifs se sont toujours arrangés pour mettre son dossier de côté ?

— Bonjour !

Un nouveau client passa le rideau de perles et salua Max. Un quadragénaire, un habitué apparemment. Pierre le regarda s'asseoir sur la banquette à côté des alcooliques. Sans qu'on lui demande rien, Max prit la bouteille de Ricard, en servit une dose puis posa le verre et la carafe sur la table du nouvel arrivant.

— Quoi de neuf, Max ? Tu as quelque chose pour aujourd'hui ?

— Athos. À 15 heures, à Auteuil.

Le client haussa les épaules.

— Mouais.

— Tu demandes, je réponds, dit Max en retournant se poster derrière le bar.

Brossard terminait son pan-bagnat et recrachait le noyau de la dernière olive, lorsqu'il songea soudain aux toilettes. Le gosse n'en était toujours pas sorti. La prescience du danger lui donna une décharge électrique.

— Dites-moi, est-ce qu'on peut sortir par-derrière ?

Max secoua la tête.

— Vous en êtes sûr ?

— Oui. Si on pouvait sortir, ça ferait un bout que je serais ruiné. Ils iraient tous aux toilettes et prendraient la poudre d'escampette.

Le gosse est entré là-dedans depuis au moins quinze minutes. Trop longtemps. Il se tourna vers le couloir. Ce qu'il vit le fit se soulever de son siège. La porte des toilettes était entrebâillée. Et si c'était lui ? Est-ce qu'il serait en train de me surveiller ? Il veut peut-être s'assurer que je ne suis pas parti. Si c'est l'homme que j'ai semé à Aix, il doit se méfier.

Garder mon calme, il en a de bonnes, le commissaire. Comment suis-je censé garder mon calme ? A priori, la police ne les a pas encore attrapés, ces juifs. Sois raisonnable. Il y a un gosse dans les toilettes, et après ? Peut-être qu'il se drogue. Mais la porte était fermée lorsque je suis sorti de la cabine. Pourquoi est-elle ouverte à présent ?

Il savait ce qu'il devait faire. Il s'adressa à Max, assez fort pour qu'on l'entende du fond :

— Je peux avoir un jeton ? Je dois passer un autre appel.

Il se dirigea vers la cabine, la main dans sa veste. Il regardait non pas le téléphone, mais la porte des toilettes entrouverte. Devant la cabine, il hésita et, comme s'il changeait d'avis, il fit volte-face et poussa la porte des W-C. C'était un simple trou crasseux dans le sol carrelé, qui n'avait pas dû être rénové depuis cinquante ans. Le gosse à la casquette de base-ball américaine lui tournait le dos et faisait semblant de pisser. Il ne voyait pas son visage.

— Désolé, vous n'aviez pas fermé la porte.

— Ce n'est pas grave, répondit le jeune homme sans se retourner.

Il regardait le dos du gosse. Il ne pissait pas. Il n'y avait aucune trace de seringue. Il sortit à demi son revolver.

— Vous en avez pour longtemps ?

Il vit le gosse se raidir et faire semblant de secouer sa verge. Puis son bras se leva, pas pour remonter sa braguette mais pour chercher dans son blouson. C'était lui. Il le savait, il n'avait pas besoin de voir son visage. Au moment où le gosse plongeait sa main dans son blouson, il lui tira deux fois dans le dos. Il le regarda tomber à genoux sur le carrelage trempé d'urine. Le revolver du môme tomba à côté du trou. Il s'approcha et souleva la tête du mourant pour regarder son visage. C'était bien celui d'Aix.

Les deux coups de feu avaient claqué fort dans le bar. Des pas précipités. Max arrivait. Il fourra son arme dans sa veste et s'écarta de la porte.

— J'étais dans la cabine. Je crois que c'est un suicide.

Hébété, Max entra dans les W-C. Dans quelques secondes, le patron du bar saurait la vérité.

Il s'élança dans le couloir, traversa le café et déboucha dans la rue Obscure. Le cœur tambourinant, il poursuivit sa course jusqu'au bout du passage et descendit les marches qui menaient au bord de mer, où il se mêla à l'anonymat des flâneurs, retrouvant la lumière du soleil et le miroitement argenté de la mer.

26

C'était une Jeep de la gendarmerie, un véhicule immédiatement identifiable. Son chauffeur, l'adjudant Picot, était équipé d'une arme automatique, comme le maréchal des logis-chef à côté de lui. Roux était assis à l'arrière, seul, son uniforme impeccable indiquant clairement son rang, une mallette sur les genoux et un petit sac de voyage à ses pieds. On était venu le chercher à l'aéroport de Nice pour le conduire directement à Villefranche-sur-Mer. Comme il franchissait le dernier virage sur la route de la Haute Corniche, il aperçut le lourd portail du prieuré de Saint-Michel-des-Monts et sa croix rouillée qui penchait légèrement sur la droite. Mais où se trouvaient les hommes chargés de surveiller Brossard ?

Il vit alors une Jeep de la gendarmerie garée sur le petit parking circulaire d'où l'on pouvait admirer la vue, avec, à l'avant, deux sous-officiers en uniforme.

— Ce sont nos hommes ?

— Oui, mon colonel.

— Bon sang ! J'ai demandé une surveillance, pas un barrage routier !

— Mon colonel ?

— Les uniformes ! Le véhicule militaire ! Si le suspect les a vus en arrivant, il est reparti aussitôt.

— Mon colonel...

— Appelez-les. Amenez-les-moi ici.

Lorsque l'autre Jeep se rangea à leur côté, Roux se pencha à la fenêtre.

— À quelle heure êtes-vous arrivés ?

— 14 h 10, mon colonel.

— Venez, on y va.

Le père hospitalier répondit à l'interphone.

— Oui ?

— C'est la gendarmerie. Veuillez ouvrir, je vous prie.

Tandis que les deux véhicules franchissaient la porte cochère, le religieux appela le père Joseph dans son bureau.

— La gendarmerie, mon père. Deux Jeep.

— Où est notre ami ?

— Il est sorti il y a quelques heures. Il n'est pas encore rentré. Que dois-je leur dire ?

— Attendez. J'arrive.

Le père Francis sortit et avança dans l'allée.

— Que puis-je pour vous, messieurs ?

— Est-ce qu'il y a une autre entrée, mon père ?

— Oui, à l'autre bout de la propriété, après la chapelle.

— Adjudant, allez-y. Maréchal des logis-chef, venez avec nous.

La Jeep de l'équipe de surveillance accéléra en direction des écuries. Roux, suivi de l'adjudant Picot et des deux autres sous-officiers, pénétra dans le grand vestibule du bâtiment.

— Qui est le responsable, ici ?

— Le père Joseph. Il arrive.

Un moine âgé descendait l'escalier de marbre rose. Il traversa le carrelage en damier du vestibule et leur adressa un signe de tête poli.

— Bonjour, messieurs.

— Je suis le colonel Roux. J'ai un mandat de perquisition.

Le père Joseph prit la feuille dactylographiée qu'il lui tendait et la lut lentement.

— Pierre Brossard ? dit-il enfin.

— Oui. Il est ici ?

— Non.

— Mais vous le connaissez ?

— Effectivement. Nous étions à l'école ensemble.

— Vous savez qu'il est recherché pour crimes contre l'humanité ?

— Oui.

— A-t-il déjà séjourné ici ?

— Notre prieur, Dom Henri, se trouve à Rome en ce moment. Je le remplace en son absence, mais je ne peux pas parler à sa place. J'estime que ce n'est pas à moi de répondre à une telle question. Comme vous le savez, colonel, pour mes supérieurs, le droit d'asile de l'Église prime les lois de l'autorité civile.

— Le mandat de perquisition que vous voyez est un document légal. Il n'a rien à voir avec le droit d'asile. Nous essayons de retrouver et d'arrêter un criminel recherché pour un crime d'une extrême gravité. Nous allons fouiller le prieuré.

Le père Joseph hocha la tête.

— Dans ce cas, le père Francis vous servira de guide. Bonne journée, messieurs.

Il se tourna vers l'autre moine.

— Si vous avez besoin de moi, je serai dans mon cabinet de travail.

— Bien, mon père.

La fouille débuta dans la grande salle de réception du rez-de-chaussée. Roux aperçut une demi-douzaine de silhouettes en robe de bure qui se mouvaient lentement dans la cour intérieure. Avec ses colonnes de pierre, elle aurait pu ressembler au cloître d'un monastère si elle n'avait pas fait face à une grande piscine entourée d'une terrasse, avec des parasols et des chaises longues en plastique. Tandis que la fouille se poursuivait dans les salles à manger et les cuisines de la demeure, il fut frappé par l'incongruité de cette communauté religieuse qui vivait dans un confort tout séculier. Pourtant, par leur simple présence, les moines métamorphosaient le luxueux mobilier, les carrelages ornementés, les chandeliers muraux et les boiseries, qui semblaient presque modestes. Les grands vases étaient vides dans leur niche et, sur les murs, des surfaces jaunies signalaient les endroits autrefois occupés par des miroirs et des tableaux. Au premier étage, sur le grand mur de pierre du palier, était suspendu un horrible crucifix moderne. Le Christ laissait sa tête tomber en avant, comme s'il avait honte d'être surpris dans un tel décor.

Rapidement, Roux donna des instructions à ses hommes. Chacun prit un couloir, ouvrant les portes les unes après les autres sur des pièces vides. Ils progressèrent ainsi jusqu'aux petites chambres des domestiques du deuxième étage, transformées en cellules monacales. Durant la fouille, il constata que le père Francis ne se conduisait pas comme un homme qui avait quelque chose à cacher. Une fois qu'ils en eurent terminé avec le bâtiment principal, le prêtre les conduisit à la chapelle. Roux, par habitude et par respect, trempa la main dans le bénitier et se signa en entrant dans la nef. Deux moines agenouillés priaient devant l'autel principal. Il adressa un signe à l'adjudant Picot qui fit rapidement le tour de la sacristie.

Lorsqu'ils retrouvèrent la lumière du jour, un des gendarmes descendait du grenier situé au-dessus des écuries reconverties. Rien, là non plus.

— Nous avons tout vu? demanda Roux, qui vit le père hospitalier hésiter.

— Il y a des cabanes de l'autre côté du potager. Pour les outils, les pesticides, ce genre de choses.

— Allons voir.

Le prêtre parut hésiter encore.

— Par ici, dans ce cas.

Tandis qu'ils se dirigeaient d'un pas vif vers les rangs de légumes, Roux aperçut à côté des cabanes à outils une construction qui ressemblait à un petit pavillon.

— Et ça, mon père ?

— C'était la maison du jardinier. Maintenant, nous ne nous en servons plus que pendant les retraites, lorsque nous avons trop de visiteurs.

Au bout du jardin, au-delà du pavillon, Roux vit la Jeep qui gardait le portail de derrière. Il prit le sentier qui menait au pavillon. La porte était fermée à clé.

— Vous avez une clé, mon père ?

— Je crains que non. Le père Paul s'est servi du pavillon pour entreposer de la terre de rempotage. C'est lui qui doit les avoir.

— Vous ne pouvez pas lui demander la clé ?

— Non, malheureusement. Il est allé faire des courses à Nice, pour la retraite qui débute demain.

Roux regarda l'adjudant Picot, qui s'approcha de la fenêtre. Il sortit un couteau, le glissa sous l'espagnolette et souleva le panneau. Puis il se tourna vers son jeune collègue.

— René, tu peux passer par là, non ?

Le gendarme se faufila dans l'espace exigu. Un instant plus tard, la porte s'ouvrait et Roux se tenait sur le seuil d'un petit salon, les yeux fixés sur trois lourdes valises et une mallette de cuir râpé.

— À qui appartiennent ces bagages, mon père ?

Une fois de plus, il vit le prêtre hésiter.

— Je ne sais pas trop. C'est le père Paul qui s'occupe de ce pavillon.

Roux indiqua les valises à l'adjudant Picot. Elles n'étaient pas fermées à clé. Les deux premières contenaient des vêtements d'homme, des livres de prières et un missel très usé. Puis Picot ouvrit la plus grande.

— Mon colonel ! Venez voir ça.

Roux se pencha sur la valise, puis lança un coup d'œil au religieux. Il avait l'air hébété. Roux souleva un insigne SS représentant une tête de mort, puis un fanion de motocyclette de la Waffen SS.

— À qui est-ce ?

— Je... Je n'en ai aucune idée. Je n'avais aucune idée qu'il y avait... Colonel, je pense que je ferais mieux de prévenir le père Joseph.

— Faites donc, mon père. Mais surtout, je veux que ni vous ni personne ne décrochiez un téléphone. C'est bien compris ?

Le prêtre hocha la tête et sortit. Roux s'accroupit devant la mallette de cuir. Elle était fermée par une serrure placée sur un rabat. Il le trancha à l'aide de son couteau. La mallette était remplie de chemises cartonnées bien rangées.

— Vous, mettez ça sur la table. Adjudant, fouillez le garage et la propriété. Nous cherchons une Peugeot blanche de la fin des années 70.

Lorsque l'adjudant fut sorti, Roux s'assit à la table. Les premiers dossiers disaient tout. Pendant les minutes qu'il passa à les consulter en attendant le père Joseph, Roux comprit qu'il avait devant lui les archives de quarante ans d'efforts pour nier les jugements de l'histoire et annuler les sentences de l'État.

Depuis qu'il était entré au Carmel, jamais Joseph ne s'était retrouvé face à une telle décision, et jamais il ne s'était senti aussi seul. C'était comme si la vie qu'il avait choisie, une vie qu'il pensait pouvoir contempler avec humilité et gratitude à l'heure de sa mort, lui apparaissait soudain dans tout son égoïsme et son hypocrisie. Toutes ces années de prière et de renoncement, ces années où il pensait être béni par l'amour divin, l'avaient-elles détourné de ses devoirs envers son prochain ? Lui, qui depuis son enfance se méfiait des opinions politiques de son père et du sergent Brossard, n'avait-il pas, d'une certaine manière, cautionné les actes de ces hommes en restant pendant vingt ans sous la houlette d'un conservateur comme Dom Henri ? Après la guerre, pendant la période de bouleversements au sein de l'Église, jamais il n'avait protesté lorsque Dom Henri critiquait les prêtres et les nonnes sud-américains qui se battaient et souffraient avec les pauvres et les opprimés. Et voilà qu'aujourd'hui, tandis que les gendarmes fouillaient le prieuré, menaçant la paix de la communauté dont il avait provisoirement la responsabilité, il lui fallait finalement affronter les conséquences de son silence. Devait-il parler ou se taire ? Dire à ce colonel : oui, Brossard séjourne ici, il n'est pas dans l'enceinte, mais il va revenir, il doit passer la nuit chez nous. C'est un criminel de guerre, un homme que j'ai connu lorsque nous étions enfants, quelqu'un en qui je n'ai jamais eu confiance, un menteur, une canaille. Arrêtez-le.

Ou se taire, comme d'habitude, ne pas les aider, ni les égarer ? Mais se taire revient à prétendre que je ne sais rien. Ce qui est un mensonge. À qui obéir ? À ma conscience ou aux règles de l'ordre ? Hélas, je connais la réponse. Je ne peux pas agir égoïstement pour sauver ma conscience. En obéissant à Dom Henri, j'obéis à la règle, la règle par laquelle nous faisons serment d'obédience à Dieu. Je suis un carme. Je dois protéger notre ordre du scandale en faisant tout pour que Brossard ne soit pas arrêté ici.

Francis, hors d'haleine, inquiet :
— Père Joseph ?
— Oui, Francis ?
— Ils ont trouvé ses bagages. Dans le pavillon. La première valise qu'ils ont ouverte contenait tout un bric-à-brac nazi.
— Un bric-à-brac nazi ?
— Des drapeaux, des brassards, des médailles. Il doit les collectionner. J'ai dit que j'allais vous chercher. Le colonel ne veut pas qu'on se serve du téléphone.
— Pour qui se prend-il ? Bon, venez avec moi.
Lorsqu'ils arrivèrent au pavillon, le colonel Roux étudiait le contenu de chemises cartonnées, assis à la table de la cuisine. Il y avait une mallette en cuir posée à côté de son coude. La valise de cochonneries nazies,

Joseph la vit immédiatement : sur le sol, près de la porte. Le colonel leva les yeux.

— Ce sont les affaires de Pierre Brossard, mon père. Où se trouve sa voiture ?

— Je l'ignore, répondit Joseph.

Le colonel se tourna vers Francis.

— Et vous ?

Le père Francis hésita, puis se tourna vers Joseph.

— Je crains que nous ne puissions pas vous aider, dit ce dernier.

— Se trouve-t-il sur le domaine du prieuré ?

Joseph resta muet.

— Mon père, ces papiers et ces affaires appartiennent indiscutablement à Brossard. Nous cherchons maintenant sa voiture. Si elle est ici, nous la trouverons. Et si elle est ici, il est fort probable que vous cachiez Pierre Brossard quelque part sur la propriété. Est-ce que vous voulez vraiment que je démonte ce prieuré pierre par pierre ?

— Vous ne trouverez personne ici.

L'adjudant Picot les rejoignit en compagnie de l'un de ses collègues.

— Aucune trace de la voiture, mon colonel. Et je ne vois pas où on pourrait la cacher.

Roux regarda Joseph.

— Mon père, je ne pense pas que vous puissiez continuer à nier que Brossard soit venu ici.

— Je ne le nie pas. Je dis juste qu'en l'absence de notre prieur je ne suis pas compétent pour discuter de ce sujet avec vous. J'ai besoin de son avis. Si vous le permettez, je vais essayer de le joindre par téléphone. Comme je vous l'ai dit, il est actuellement à Rome.

— Non, je ne veux pas que vous vous serviez du téléphone. Il se trouve que nous savions que Brossard devait arriver à Villefranche aujourd'hui. On nous a dit qu'il venait au prieuré. Il semble que nous ayons été bien informés. Il est venu ici, mais sa voiture n'est pas là pour le moment. Il est peut-être sorti faire une course. Nous attendrons donc son retour.

— Comme il vous plaira, dit Joseph. Est-ce que nous pouvons disposer ?

— Attendez, dit Roux. Sergent, voulez-vous accompagner le père Francis ? L'ouverture du portail est contrôlée par le téléphone qui se trouve dans son bureau. L'adjudant répondra à tous les appels, conclut-il en se tournant vers Joseph.

— Venez, père Francis, dit Joseph, ignorant l'officier.

L'autre religieux hocha la tête. Lorsque les deux prêtres furent sortis, l'adjudant Picot à leur suite, Roux se rassit devant les dossiers. Quelque part dans ces papiers se trouvait peut-être la clé de toutes ces années de fuite et de dissimulation. Il ouvrit la chemise intitulée « Grâce présidentielle » et commença à lire une lettre rédigée par un certain Mgr Gouet et adressée à Mgr Le Moyne. « Il doit être clair que, d'un point de vue administratif, la grâce n'est pas une décision personnelle du président. Certes, le président incline dans notre sens, mais il ne fera rien sans l'avis des ministères de l'Intérieur et de la Justice. »

Tandis que Roux lisait ces lignes, l'un des sous-officiers arriva en courant avec un téléphone portable.

— C'est pour vous, mon colonel.

— Roux à l'appareil.

— Robert, c'est Daniel. Il y a du nouveau. La nouvelle vient de tomber. Tu ne lui as pas encore mis la main dessus, j'imagine ?

— Non, mais il est passé au prieuré. Nous avons retrouvé ses affaires.

— Robert, laisse tes hommes sur place. Et ramène-toi. Vite !

27

— Mais qui va nous dédommager pour le manque à gagner, si on est obligé de fermer ce soir ? C'est qu'on attend des clients, nous ! Et après tout, nous n'avons rien à voir avec cette histoire.

L'inspecteur Sarrat, délaissant le propriétaire, regarda les deux officiers de gendarmerie.

— Qu'en pensez-vous, colonel ? En ce qui nous concerne, nous aurons terminé d'ici à ce soir. Et vous, vous avez encore des choses à faire ici ?

— Non, ça va. J'aimerais aller à la morgue, maintenant, pour voir le corps.

— Bien sûr. Je vais les appeler pour les prévenir de votre arrivée.

Roux se tourna vers Max Pellan.

— Est-ce que vous le connaissiez bien ? C'était un habitué, quand il venait à Villefranche ?

— Oui, plus ou moins. Mais pour moi, ce n'était qu'un petit vieux à la retraite un peu pingre qui s'appelait Pouliot. Il ne parlait jamais de lui. Faut dire que ça ne m'intéressait pas plus que ça.

— Et l'enveloppe ? Vous ne vous souvenez de rien de spécial ?

— C'était une lettre recommandée, intervint Mme Pellan. De Paris, je pense. Il était toujours là le jour où elle arrivait. Et il s'inquiétait quand le facteur était en retard.

— Et l'homme qu'il a tué?

— Jamais vu avant, répondit Max. Il est entré, il a commandé une bière et il est allé aux toilettes pendant que je le servais.

— Le papier que vous avez trouvé sur lui, dit Roux en s'adressant à l'inspecteur Sarrat. Serait-il possible d'en avoir une copie?

L'inspecteur sortit une feuille de sa poche.

— J'en ai fait quelques-unes pour la presse. Voilà.

Sur la route de la Basse Corniche, Daniel Dumesnil éclata de rire.

— En tout cas, je ne vois rien qui ressemble à une conspiration ici. La police s'est montrée très coopérative. Nous les avons peut-être mal jugés.

— C'était la même chose à Salon, dit Roux. L'inspecteur Cholet a été on ne peut plus charmant avec moi. Le protecteur de Brossard se trouve à Paris. Et il est haut placé. Le préfet, peut-être. Ces flics de province ne savent rien. La proclamation, tu veux bien me la relire?

Dumesnil prit la feuille dans sa mallette.

JUSTICE POUR LES
VICTIMES JUIVES DE DOMBEY

Cet homme est Pierre Brossard, ancien chef du deuxième service de la milice de Marseille, condamné à mort par contumace en 1944, puis en 1946, et accusé de crimes contre l'humanité pour le meurtre des quatorze juifs de Dombey, dans les Alpes-Maritimes, le 15 juin 1944. Aujourd'hui, après quarante-quatre ans de reports, de faux-fuyants légaux, et malgré les efforts de l'Église catholique qui a tenté de soustraire Brossard à la justice, les morts sont vengés. Cette affaire est close.

— Sauf qu'elle ne l'est pas, conclut Roux. Loin de là.

À la morgue, on leur sortit le cadavre. Roux se pencha pour examiner le visage.

— Heureusement, on l'a trouvé avant que nos amis de Paris aient le temps de l'effacer du fichier informatique, dit Dumesnil.

— Bravo. Qui est-ce ?

— Benrehail Ben Saïd, plus connu sous le nom de Tomas Saïd, fils d'un sergent harki qui s'était reconverti dans le vol à main armée à Marseille et qui a été tué par la police au cours d'un hold-up en 74. Le fils a suivi les traces du père et a été arrêté deux fois. Il travaillait pour Mohammed Remli, à Paris.

— Le caïd de la drogue ?

— Tout juste. Le gosse était soupçonné d'être l'un des tueurs de Remli. C'était un indic, mais Remli n'en savait rien. Paris l'a relâché au bout de trois mois.

— Donc, c'est un professionnel. Engagé par un groupe juif. Bizarre, non ? Pourquoi engager des pros et leur donner des noms et des papiers juifs ? Ce n'est pas logique.

— Je suis d'accord, dit Dumesnil. J'ai appelé la DST pendant que tu étais au prieuré. Ils n'ont jamais entendu parler de ce groupe. Ils sont pourtant bien renseignés sur le sujet. Même réponse du Centre Wiesenthal : inconnus au bataillon.

— Reprenons. Tu es Brossard et tu viens de descendre un deuxième assassin en puissance. Qui que soient ces gens, tu sais qu'ils te suivent depuis Salon et qu'ils connaissent ton refuge à Villefranche. Si tu es malin, et Brossard l'est, tu t'es rendu compte que l'assassin t'a pris en filature à ton arrivée au prieuré, le matin, et qu'il t'a suivi jusque dans la vieille ville. Brossard l'a tué vers 13 h 15, selon le propriétaire du bar. Après, il a très bien pu retourner au prieuré et repérer tes hommes en uniforme en arrivant.

— Ils ne sont arrivés qu'à 13 h 45, rétorqua Dumesnil. Il ne les a donc pas nécessairement vus. Il n'est peut-être pas encore repassé au prieuré. Et s'il essaie d'y retourner discrètement dans la journée, il ne verra personne.

Roux secoua la tête.

— Nous l'avons perdu, Daniel. Je le sais. On peut laisser en place la surveillance encore vingt-quatre heures. Mais je repars pour Paris ce soir, avec les papiers de Brossard. J'ai beaucoup de choses à lire. Et j'ai intérêt à ne pas traîner.

28

Le bâtiment se trouvait boulevard Jean-Jaurès, juste derrière les ruelles tortueuses du vieux Nice. Il avait été mis à la disposition de la Fraternité Saint-Donat par le maire de la ville, contre l'avis de l'évêque qui avait pourtant été clair : le prieur général Dom Olivier Villedieu était un émule de Mgr Lefebvre, l'ancien archevêque de Dakar qui avait décidé que Rome ne représentait plus le vrai catholicisme depuis l'abandon de la messe en latin et les réformes de Vatican II. Le siège de la Fraternité du boulevard Jean-Jaurès accueillait donc en majorité des prêtres abusivement ordonnés dans les années 80 par Mgr Lefebvre, à son quartier général d'Écône, en Suisse, pour braver le Vatican. Bien que peu de religieux et de laïques aient suivi Dom Olivier et Mgr Lefebvre dans leur rébellion ouverte, la Fraternité avait des sympathisants. Notamment parmi les Chevaliers de Sainte-Marie, un ordre au sein duquel Dom Olivier occupait un rang élevé.

Le prieur était donc un frère d'armes. Mieux encore, au fil des années, Dom Olivier avait maintes fois proclamé aux autres ecclésiastiques : « Recevoir Pierre Brossard ne relève pas du droit d'asile de l'Église. Il faut aider Pierre et le protéger parce qu'il est victime d'une machination des ennemis de la vraie foi. » Dom Olivier et les prêtres de la Fraternité Saint-Donat appartenaient donc à une catégorie à part. Il était inconcevable qu'ici on prenne en considération les instructions du cardinal. Brossard savait qu'il serait toujours bien accueilli à Saint-Donat.

En effet, les marques de bienvenue ne se firent pas attendre. Le père Rozier, le père hospitalier, l'étreignit avant de le conduire à l'atelier d'imprimerie, où les pères Paul et Guy-Marie le serrèrent dans leurs bras à leur tour. Puis il grimpa les marches menant au bureau encombré de Dom Olivier. Il se leva à son entrée et l'examina avec perplexité, car il avait la vue affaiblie par une cataracte. Le reconnaissant, il s'avança les bras ouverts pour lui donner une accolade fraternelle.

— Pierre ! Dieu vous bénisse. Comment vous portez-vous ?

— Pas trop mal, merci, mon père. Et vous ? Vous m'avez l'air en forme.

— Dieu est bon, répondit Dom Olivier énigmatiquement.

Tout le monde savait qu'il souffrait d'un cancer de la prostate, mais c'était un sujet dont il ne parlait jamais.

— Alors, vous jouez toujours à cache-cache ? reprit-il.

— Oui, c'est le mot, mon père.

— Savez-vous que nous prions pour vous tous les soirs, Pierre ? Vous allez en avoir besoin plus que jamais.

— J'en suis conscient.

— J'ai lu un article au sujet de cette juge parisienne. Et Delavigne ! Quel lâche ! Quelle honte ! Tout cela ne fait que confirmer ce que Mgr Lefebvre disait à propos de la perfidie de Rome.

— Hélas, mon père, les recommandations du cardinal portent déjà leurs fruits. Toutes les portes se ferment devant moi.

— Pierre, la nôtre vous sera toujours grande ouverte. Mais, à présent, si vous voulez bien m'excuser, j'ai du travail. Nous nous verrons au dîner.

Le père Rozier le conduisit dans une petite pièce tout en haut de la bâtisse.

— Vous désirez qu'on vous aide à monter vos bagages ?

— J'ai été contraint de les laisser à Villefranche. Il faudra sans doute que j'attende quelques jours avant de pouvoir les récupérer.

— Comment ça ?

— À mon arrivée, ce matin, j'ai posé mes bagages à Saint-Michel-des-Monts et je suis allé en ville. Lorsque j'ai voulu rentrer, j'ai vu une Jeep de la gendarmerie garée devant l'entrée. J'ai donc fait demi-tour pour venir directement ici. Sans bagages.

— Nous vous donnerons un pyjama, un rasoir et tout ce dont vous pourrez avoir besoin en attendant.

— Merci. J'appellerai Villefranche demain pour savoir si j'ai eu raison de me méfier. Mais, d'ici là, je préfère ne pas me montrer là-bas.

— Est-ce que vous avez faim ? Vous désirez manger quelque chose ?

— Non, non. Mais pourrai-je utiliser votre téléphone dans un moment ? C'est pour un coup de fil personnel.

— Il y a un téléphone à l'étage en dessous, dans l'atelier de reliure. Je veillerai à ce que vous ne soyez pas dérangé.

— Merci. Merci beaucoup.

— Je vous en prie. Prévenez-moi quand vous voudrez téléphoner.

Une fois le père Rozier parti, il put enfin s'allonger sur l'étroit grabat qui servait de lit aux moines. Il leva les mains afin d'étudier le tremblement qui les agitait. Au-dessus de lui, il apercevait l'impitoyable ciel bleu provençal encadré par la minuscule lucarne. Parfois, j'ai l'impression de voir un œil dans le ciel qui me regarde et me juge. Mais qu'ai-je fait de mal ? Je dois bien me défendre. Où est le mal ?

Il regarda encore le rectangle de ciel. Au-delà de ce bleu, au-delà des étoiles invisibles, au-delà du soleil, qui me voit ? Qui me juge, qui décide de mon destin ?

Ai-je eu raison? Ce jeune homme était-il celui d'Aix?
Dans les toilettes, quand il gisait dans la pisse et le
sang, la queue à l'air, et que j'ai soulevé sa tête, j'ai
juste eu le temps d'apercevoir son visage. Je lui ai tiré
dessus dans le dos, sans savoir, parce que je ne pouvais pas prendre de risque. Je ne le pouvais pas, non?
D'ailleurs, j'ai eu raison. Il avait une arme.

Les gendarmes, c'est une autre histoire. S'ils m'attendent et qu'ils ne me voient pas, ils finiront par aller
trouver Joseph. Qui sait ce qu'il va leur raconter? Ils
risquent de fouiller les lieux et de tomber sur mes
valises, mes dossiers. Je ne peux même pas appeler
pour savoir. Le téléphone du prieuré doit être sur
écoute. Vionnet, c'est lui que je dois joindre. Il doit me
sortir de là. Je dois lui raconter ce qui s'est passé
aujourd'hui. Il est censé me protéger. Prends un
cachet. Calme-toi. Du repos. Du repos.

29

Les caves de Saussaies étaient situées sur la route nationale entre Vaison-la-Romaine et Nyons. Elles consistaient en un modeste corps de ferme, un garage et deux granges où l'on procédait à la mise en bouteilles et au stockage. À l'entrée, une pancarte à demi effacée annonçait : DÉGUSTATION DE VINS. La pièce réservée à cet usage était pareillement modeste : une petite resserre avec un bar, une rangée de verres et quelques bouteilles du vignoble, un côte-du-ventoux bon marché. Rien n'encourageait les touristes à s'y arrêter pour le goûter. Cependant lorsqu'il y avait des acheteurs sérieux dans la région, le propriétaire, l'ancien commissaire Vionnet, venait spécialement d'Avignon pour présider à la dégustation, tandis que Marie-Ange Caillard, l'épouse de Paul Caillard, le contremaître du vignoble, se chargeait de préparer des amuse-gueules.

Cet après-midi-là, les acheteurs potentiels étaient des commerciaux d'un supermarché dont le siège se trouvait à Orange. Ils arrivèrent un peu avant 18 heures. Vionnet, qui les attendait depuis 16 h 30, était d'une humeur massacrante. Néanmoins, résolu à être affable, il se força à faire bonne figure. Marie-Ange servit ses amuse-gueules, puis se retira avec son mari dans la cuisine de la ferme.

— Ça pourrait être une grosse commande, lui dit Paul. J'espère que ça va bien se passer.

Quinze minutes plus tard, le téléphone sonna dans la cuisine. Lorsque Paul décrocha, une voix masculine anxieuse débita d'un ton précipité :

— Est-ce que le commissaire Vionnet est encore ici ?

— Oui.

— C'est Paris. Pouvez-vous l'appeler, s'il vous plaît ?

— Il est occupé pour l'instant. Mais si vous me donnez votre numéro, je lui dirai de vous rappeler.

— Non, pas de numéro. Dites-lui que c'est l'inspecteur Pochon.

Paul reposa le combiné. Dans le local de dégustation, le commissaire et les acheteurs examinaient des chiffres.

— Vous avez un appel de Paris. L'inspecteur Pochon.

Le commissaire hésita, puis se tourna vers ses clients.

— Je suis désolé. J'en ai pour une minute. En attendant, Paul répondra à toutes vos questions concernant le vin.

Marie-Ange vit le commissaire entrer dans la cuisine. Il prit le combiné et lança un regard dans sa direction.

— C'est bon. J'allais sortir.

Elle se rendit dans le salon adjacent à la cuisine. La télévision était allumée, sans le son. C'était un match de foot. Elle ne s'intéressait pas au foot, mais elle s'assit sur le canapé, feignant de regarder le jeu. On entendait parfaitement le commissaire au téléphone.

— Quand ?

Il resta silencieux quelques instants puis :

— C'était à la télé ? Et *Nice-Matin*, comment est-ce qu'ils ont su pour la lettre ?

Il écouta la réponse, puis :

— Où est-ce que tu as déniché cette bande de manchots ? Un vieillard de soixante-dix ans et il les épingle comme des papillons !

Il se tut de nouveau.

— Le patron a rencontré le gosse, tu ne te souviens pas ? On l'a envoyé chez lui la veille de son départ. C'était justement ce qui l'inquiétait.

Il écouta un long moment.

— Non, c'est trop tard. Je ferais mieux de rentrer à la maison tout de suite. Il va sans doute m'appeler ce soir.

Elle l'entendit raccrocher.

— Marie-Ange ?

Elle le laissa appeler deux fois. Elle ne tenait pas à ce qu'il pense qu'elle écoutait.

— Il faut que je rentre à Avignon. Je vais m'excuser auprès de nos clients avant d'y aller. Dites à Paul de ne pas s'inquiéter : je pense que l'affaire est en bonne voie. Ils vont nous donner six mois à l'essai dans leurs magasins d'Orange. Paul peut leur montrer les vignes, s'ils le souhaitent. Et merci pour les amuse-gueules. C'était parfait.

Plus tard, dans la soirée, après le départ des acheteurs, Marie-Ange fit remarquer à son mari :

— Je croyais qu'il avait quitté la police.

— Mais oui, il est à la retraite, répondit Paul.

— C'est bizarre. Je l'ai entendu au téléphone, avec l'inspecteur de Paris. Je n'ai pas bien compris de quoi il s'agissait, mais ça m'avait tout l'air d'une enquête de police. Un truc au sujet d'une lettre parue dans *Nice-Matin*. Ça le tracassait drôlement.

— Mais non. Ça fait un bout de temps qu'il est à la retraite. Il s'agit sans doute d'une vieille affaire.

— Ce n'est pas l'impression que j'ai eue. Il était vraiment inquiet. Ça se voyait.

30

On lui avait dit 21 heures. Pochon savait qu'il n'avait pas intérêt à être en retard. Il s'assit à sa place habituelle, dans le café anonyme grouillant de touristes. Il regardait les bus dans l'avenue du Président-Wilson, de l'autre côté de la place de l'Alma. En général, le contact arrivait par le 63, mais ce soir c'était différent. Il avait dit : « Je serai dans une 205 rouge et je me garerai devant l'arrêt de bus. Restez à l'intérieur du café tant que vous ne me voyez pas. »

Il était 21 heures. La soirée était tiède. La tour Eiffel répandait ses lumières sur la Seine. Tout était normal, une soirée comme une autre. Pourtant ce n'était pas une soirée comme une autre. Tout allait de travers. À 21 heures pile, la Peugeot rouge se rangea juste devant l'arrêt du 63. Pochon se leva, abandonnant sa bière sans l'avoir touchée, et sortit comme un condamné. Il traversa l'avenue sans regarder et se cogna à un feu de signalisation. Le contact le regardait par la portière ouverte. Il monta et la voiture repartit aussitôt, traversant la Seine à vive allure.

Le contact était le même que d'habitude : un homme d'une cinquantaine d'années, avocat peut-être, froid et impersonnel, la voix cassante. Mais pour l'instant, il conduisait sans un mot, les yeux fixés devant lui.

— Vous avez lu les journaux, je suppose ? demanda Pochon.

C'était idiot, il le savait, mais il se sentait incapable de se taire.

Le contact hocha la tête.

— La télévision a tout mélangé, reprit-il. Bien entendu.

Le contact ne répondit rien. Ils longèrent les Invalides et l'Assemblée nationale, puis bifurquèrent sur le boulevard Saint-Germain. À présent, Pochon devinait où on l'emmenait. L'appartement du patron se trouvait rue Saint-Thomas-d'Aquin. Il n'y était jamais allé, mais il connaissait l'adresse. Le commissaire Vionnet lui avait dit qu'on y avait envoyé le gosse harki avant qu'il prenne l'avion pour Aix.

Il ne se trompait pas. Numéro 6, rue Saint-Thomas-d'Aquin, quatrième étage, appartement 5. Un vieil immeuble à l'atmosphère feutrée, des habitants qui avaient vécu ici toute leur vie, un tapis dans l'escalier et des portes en acajou. Pas d'ascenseur.

Tandis qu'ils grimpaient l'escalier, il vit le contact jeter un coup d'œil à sa montre.

— Nous avons trois minutes d'avance, annonça ce dernier en arrivant au quatrième étage.

Il hésita, puis appuya sur la sonnette. La porte s'ouvrit sur un domestique, un homme d'une cinquantaine d'années en gilet à rayures jaune et noir. Il ne leur demanda pas leurs noms, mais, d'un hochement de tête, leur signifia de le suivre. Il les guida le long d'un couloir orné de niches qui abritaient des bustes romains, passant sans s'arrêter devant un immense salon avec un piano à queue, de grands tableaux, de lourds meubles anciens et des tapis orientaux. De l'autre côté du couloir, dans la salle à manger, la longue table d'acajou était dressée pour une seule personne, mais selon un strict cérémonial : plusieurs verres de cristal, une carafe de vin et des fleurs. Le patron n'avait pas encore dîné.

À l'autre bout de l'appartement, le serviteur frappa discrètement à une porte avant de les faire pénétrer dans une vaste bibliothèque meublée de fauteuils et d'un canapé en cuir. Ses hauts murs étaient tapissés de livres reliés et, au centre, trônait un imposant bureau en teck encombré de papiers. Dans un coin, un petit poste de télévision était allumé sur la chaîne d'informations américaine CNN. Le très vieil homme, qui était assis à côté, l'éteignit avec la télécommande, puis se leva. Il salua le contact d'un signe de tête et leur indiqua le canapé et les fauteuils qui se trouvaient de l'autre côté de la pièce, sous de grandes fenêtres habillées de lourds rideaux de velours rouge.

— Messieurs, je vous remercie d'être venus.

Sa voix était douce et charmeuse, mais Pochon devinait la glace sous la politesse. Il attendit que le vieillard fût assis pour en faire autant. L'ancien inspecteur ne se laissait pas facilement intimider, mais cet homme, qu'il avait vu pour la dernière fois en 1961 dans la cour principale de la préfecture, à l'époque où lui-même était jeune lieutenant, le mettait mal à l'aise. Maurice de Grandville, l'ancien préfet de police du général de Gaulle. En gage de sa loyauté, Grandville avait maté une importante manifestation d'Algériens qui protestaient contre la politique du président français. La violence de la répression policière était restée dans les annales. Selon la presse, elle avait fait deux cents morts parmi les manifestants, un nombre que Pochon, qui se trouvait sur les lieux, n'estimait pas exagéré. Il avait vu ses collègues jeter des cadavres dans la Seine en fin de journée.

Mais il en aurait fallu plus pour perturber l'ancien préfet. Il avait fréquenté l'élite toute sa vie, à ses débuts en tant que haut fonctionnaire du régime de Vichy, puis dans la Résistance, où il avait occupé un rang tout aussi important quand il avait jugé opportun de changer de camp. Après la guerre, il s'était vu confier un portefeuille ministériel dans deux gouvernements successifs. Il était l'ami et le confident des présidents et des Premiers ministres. De Gaulle, qui lui savait gré de son indéfectible dévouement, l'avait maintenu à son poste de préfet pendant six ans après la sanglante manifestation. Aujourd'hui, à quatre-vingts ans, malgré une longue liste d'actes qui auraient requis un examen judiciaire et les preuves accumulées contre lui, jamais il n'avait passé une seule nuit en prison. Il avait été sauvé par la prescription. Restait une sale histoire qui ternissait sa brillante carrière. Sous l'occupation allemande, du temps où il était secrétaire général de la préfecture de la Gironde, il avait envoyé six cents personnes à la mort, dont deux cent quarante enfants, dans les camps d'extermination nazis. Dans ce cas, il n'y avait pas prescription. Pas pour les crimes contre l'humanité.

Pochon examina le visage usé et flasque marqué par les plis de l'âge, la serre d'oiseau de proie crispée, la cigarette qui se consumait entre l'index et le majeur, le costume ministériel foncé, l'insigne de commandeur de la Légion d'honneur. Depuis trente ans, le commissaire Vionnet, Pochon et leur protégé se faisaient arroser. Des avocats, des juges peut-être, se faisaient arroser. Des faveurs avaient été accordées et exigées, des faveurs qui mettaient en cause des hauts fonctionnaires et des politiciens de différents partis. Tout cela pour protéger ce quasi-cadavre. Et voilà qu'à la fin de sa vie ce vieillard se voyait menacé à cause de Pochon.

L'ancien préfet porta sa cigarette à sa bouche et aspira profondément.

— Nous connaissons tous la nouvelle. Inutile d'épiloguer sur ce qui a mal tourné. Aussi inconcevable que cela puisse paraître, inspecteur, vous avez réussi à envoyer deux incompétents pour exécuter une mission somme toute relativement simple. Les précautions que nous avons prises pour empêcher que l'on remonte jusqu'à nous risquent de devenir les instruments de notre chute. Cette histoire va attirer l'attention sur mon dossier, et ce sera encore pis si la gendarmerie parvient à retrouver Brossard. Un mandat de perquisition a été délivré récemment sans que nous en soyons avertis, ce qui, du fait de nos relations à la préfecture et à la DST, est plus que surprenant. Cette juge d'instruction ne fait confiance à personne. Où se trouve Brossard à présent?

— Je n'en suis pas sûr, monsieur. Mais nous sommes presque certains qu'il s'est placé sous la protection d'un groupe de religieux intégristes de Nice.

— Vous n'en êtes pas sûr? reprit le vieillard. Que voulez-vous dire par là?

— Le commissaire devrait avoir de ses nouvelles demain matin au plus tard. Jusque-là, Brossard l'a toujours informé dans les plus brefs délais de ses changements d'adresse.

— Le passé ne peut servir de critère pour prévoir ce qu'il va faire demain, décréta le vieil homme. Il doit avoir peur. En fait, ce n'est peut-être pas le bon mot. C'est un criminel rusé. Il sent le danger avec l'instinct d'un criminel, ainsi qu'il l'a clairement démontré au cours de ces deux dernières semaines. Maintenant, j'ai deux questions, inspecteur. Primo, avez-vous déjà eu affaire directement à Brossard? Vous connaît-il ne serait-ce que de vue?

— Oui, monsieur. J'ai travaillé avec lui à l'époque où vous étiez vous-même préfet. Son passé lui valait la confiance des groupes d'extrême droite, du temps de l'OAS. Il monnayait ses informations à la police.

— L'Algérie, c'était il y a bien longtemps. L'avez-vous revu depuis?

— Oui. Je lui ai parlé en personne il y a quelques années.

— Dans ce cas, il vous connaît. Parfait. Il ne vous prendra pas pour un assassin potentiel.

Aussitôt, Pochon comprit pourquoi on l'avait amené ici.

31

— Tu ne viens pas te coucher? demanda Rosa.

— Une minute. Je te rejoins tout de suite.

Il était plus de 23 heures. Il savait que cela ne servait plus à rien d'attendre. Jamais Brossard n'appellerait aussi tard. Mais où est-il? Il doit bien se douter que j'ai entendu les informations?

À 23 h 20, le téléphone sonna. Il se précipita dans le vestibule pour prendre l'appel. C'était encore Paris. Il écouta attentivement.

— Non, je n'ai toujours pas de nouvelles. Il téléphonera, mais pas ce soir, à mon avis. J'appellerai le prieuré de Nice tôt demain matin. Il doit être là-bas. Où est-ce que je pourrai te joindre?

— Ils m'ont réservé une place sur un vol qui atterrit à Nice à 10 heures. C'est le premier de la journée. Ils ont juste dit que c'était à nous de finir le travail. Avant demain soir de préférence. Merde! Pourquoi moi?

— Tu n'as pas le choix. Ils ont raison, évidemment. Il te connaît. Il ne cherchera pas à te semer. Mais d'abord, il faut trouver une solution pour le déloger de ce prieuré.

— S'il est bien là-bas.

— Il y est certainement, répondit le commissaire. Attends. J'ai une idée. La dernière fois que je lui ai parlé, il m'a demandé de lui procurer un passeport. Si j'arrive à le joindre demain, je lui dirai que tu vas lui en fournir un. Comme ça, on pourra organiser un rendez-vous. À quelle heure tu atterris déjà ?

— Le vol arrive à 10 h 15.

— Appelle-moi dès ton arrivée.

32

Le faisceau de la lampe allumée depuis des heures sur la table du colonel Roux s'efforçait de rivaliser avec les longues bandes de lumière froide qui filtraient depuis peu à travers les stores entrouverts. La mallette en cuir usé se trouvait à ses pieds. Sur sa gauche étaient soigneusement empilés quinze cahiers d'écolier et une douzaine de chemises contenant des copies de lettres, des articles de journaux et des formulaires officiels, la plupart jaunis et racornis par le temps. Plusieurs pochettes renfermaient des copies dactylographiées des courriers écrits par l'infatigable Mgr Le Moyne. Trente ans de lettres d'une courtoisie exquise, remplies de formules obséquieuses, d'injonctions pieuses et de salutations alambiquées. Des lettres adressées au président de la République, au ministère de l'Intérieur, à l'ancien président de la Conférence des évêques, au secrétaire d'État du Vatican, à l'évêque auxiliaire de Paris, aux juges d'instruction, aux préfets de police, aux avocats, à d'anciens membres de la Résistance, aux mères supérieures d'une douzaine de couvents, aux abbés des grands ordres monastiques et à d'humbles curés de campagne.

Près de quarante ans de plaidoyers, de manœuvres légales, de délais et de déceptions, qui avaient débuté à l'époque où le sujet de cette correspondance n'était qu'un collaborateur inconnu et sans importance qui, insistaient ses défenseurs, avait déjà souffert et payé pour ses péchés et qui méritait aujourd'hui d'être pardonné au nom de la charité chrétienne et de la réconciliation nationale. Quarante ans d'une campagne opiniâtre qui débouchèrent sur la victoire de 1971, avec la grâce présidentielle, suivie du retour de bâton, un an plus tard, lorsque les révélations du *Monde* déclenchèrent de nouvelles poursuites, cette fois pour crimes contre l'humanité. Les manœuvres et les plaidoyers reprirent alors de plus belle, comme stimulés par cette accusation. Le propriétaire de la mallette avait non seulement gardé les copies de toutes les lettres et les articles relatifs à son dossier, mais il avait aussi écrit dans des cahiers d'écolier des listes de personnages importants, tant civils que religieux, avec leurs coordonnées, ainsi que des adresses d'abbayes et de couvents un peu partout en France. Roux trouva un cahier où figuraient une douzaine de noms d'abbayes par page, suivis de minuscules hiéroglyphes qu'il commença à étudier à l'approche du matin, espérant en décrypter le code.

33

Lorsque Rosa Vionnet se réveilla, à 7 heures, Henri n'était pas à côté d'elle. Elle sut aussitôt que c'était lié à l'appel téléphonique de la veille. Lorsqu'elle descendit pour préparer le petit déjeuner, elle le trouva assis sur la terrasse, les yeux dans le vague. Il ne la regarda pas ni ne lui adressa la parole.

— Tu as déjà pris ton café ?

Il ne répondit pas. Elle alla à la cuisine et alluma le gaz. Au même moment, elle l'entendit reculer sa chaise et se diriger vers le bureau. Il décrocha, puis raccrocha presque aussitôt, revenant sur la terrasse.

Lorsqu'elle lui porta son café et une tartine, il parla pour la première fois.

— Monte dans la chambre, s'il te plaît, et attends que je t'appelle. Il faut que je passe un coup de fil.

Cela signifiait certainement qu'il allait appeler Paris. Il ne voulait jamais qu'elle entende ses conversations avec Paris. Il disait à tout le monde qu'il était à la retraite, mais elle savait qu'il travaillait encore pour la préfecture de Police. Quand il recevait des appels de l'inspecteur Pochon, il lui parlait comme s'il était toujours commissaire et lui donnait des ordres.

De toute façon, se dit-elle, ce ne sont pas mes affaires. Mais je n'aime pas quand il se met dans des états pareils. Ce n'est pas bon pour sa tension. Il a quand même soixante-quinze ans.

Dans le bureau, le commissaire composa le numéro de Nice.

— Prieuré Saint-Donat, bonjour.

— Bonjour, mon père. Je sais qu'il est tôt et je sais que c'est inhabituel, mais je suis un ami de quelqu'un qui séjourne peut-être chez vous en ce moment. Un certain M. Pouliot.

— Je suis désolé. Nous n'hébergeons personne en ce moment.

— Mais vous connaissez M. Pouliot ? M. Pierre Pouliot ? C'est très important, il faut que je lui parle. Je m'appelle Saussaies. Henri Saussaies. Il m'a dit qu'il serait chez vous. S'il se présente, pourriez-vous lui demander de me rappeler immédiatement ? C'est urgent. Il a mon numéro.

— Je suis désolé, monsieur, mais nous n'attendons aucun visiteur et nous ne connaissons personne de ce nom.

— Tant pis. Merci quand même, mon père. Et si par hasard il se présentait...

— Je suis désolé, monsieur. Je crains que l'on ne vous ait mal renseigné. Merci et bonne journée.

Bien sûr, ils n'admettront jamais qu'il se trouve chez eux, ni qu'ils le connaissent. Mais M. Saussaies... S'ils lui répètent ce nom, il saura.

34

Les moines de la Fraternité Saint-Donat mangeaient toujours en silence. Le réfectoire était une salle sobre, blanchie à la chaux, meublée de deux tables et de bancs grossiers. Un crucifix roman était accroché au mur principal, bien en évidence. Les moines de service à la cuisine apportèrent une grande panière remplie d'épaisses tranches de gros pain, cuit dans les fours du prieuré la nuit précédente. Le café, aussi amer que de la chicorée, était servi dans de grands bols. Rester plus d'une semaine ou deux dans cette retraite tenait de la pénitence, car Dom Olivier, au nom de sa croisade contre la vénalité et les fausses doctrines de l'Église moderne, avait rétabli ici des usages presque médiévaux : prières et mortifications, une pitance modeste et une adhésion stricte aux règles de jeûne et d'abstinence.

Il regarda autour de lui. Personne ne parlait. Il prit un morceau de pain et tenta de mordre dedans, sans parvenir à en percer la croûte. Dom Olivier entra dans le réfectoire et s'assit en bout de table, courbant la tête pour réciter en silence un long bénédicité. Lorsqu'il eut terminé, le prieur leva la tête, regarda son visiteur et pointa l'index dans sa direction, un signe que l'on pouvait interpréter comme un avertissement, mais qui était plus probablement une salutation muette.

Au prieuré, on n'avait pas accès aux journaux autres que les pamphlets religieux en provenance d'Écône, et la télévision était bannie. Il faudrait qu'il sorte pour lire les commentaires de la presse sur ce qui s'était passé la veille. Il voulait se renseigner avant d'appeler le commissaire. Le café n'était pas seulement amer, il était tiède. Il reposa son bol et, diplomatiquement, se signa pour montrer qu'il avait terminé. Mais lorsqu'il se leva de table, Dom Olivier croisa encore son regard et fit un signe de la main. Bon, le prieur veut me voir. Il lui répondit par un hochement de tête et attendit dans le couloir, devant un tableau de saint Sébastien transpercé de flèches.

Quelques minutes plus tard, Dom Olivier sortait du réfectoire, marchant du pas trop assuré des gens presque aveugles. Il hocha la tête pour lui signifier qu'il devait le suivre et le guida jusqu'à un petit parloir qui servait de salle d'attente lorsque l'un des religieux recevait de la visite. À sa surprise, Dom Olivier extirpa un journal de la profonde poche ventrale de sa robe.

— Je ne voudrais pas vous alarmer, Pierre, mon pauvre ami. Vous avez assez de problèmes comme ça. Mais avez-vous lu cet article ?

Il regarda la une de *Nice-Matin* :

MEURTRE MYSTÉRIEUX À VILLEFRANCHE
UN CANADIEN ARMÉ SE FAIT ABATTRE

Un tract retrouvé sur le corps – Cette mort serait liée à l'affaire Brossard.

Il lut rapidement le texte de la déclaration, reproduit intégralement dans le journal. Le même qu'à Salon. Je ne me suis donc pas trompé. J'ai tué le tueur.

Tandis qu'il lisait, il était conscient du regard de Dom Olivier sur lui. Il leva la tête.

— Mon Dieu ! s'écria-t-il. Mais qui était cet homme ?

— On a trouvé un passeport canadien sur le corps, répondit l'abbé, prenant une chaise rangée sous la table et s'asseyant, l'air épuisé, un filet de sueur sur la joue. Croyez-vous au diable, Pierre ?

De quoi parlait-il ?

— Au diable, père prieur ?

Dom Olivier sortit un grand mouchoir de coton rouge et s'essuya le visage.

— Pierre, si nous avons perdu le chemin de la vérité c'est parce que, aujourd'hui plus qu'à aucune période de l'histoire, le diable agit insidieusement. Les gens ont oublié que Satan existe. Hélas, l'Église, l'Église papale n'a pas jugé opportun de leur rappeler son existence. Encore faudrait-il qu'elle-même y croie. Ce dont je doute, comme je doute de tout dès qu'il s'agit de Rome. Mais le diable est derrière cette tentative de meurtre qui vous visait. Vous n'en êtes pas conscient ?

— Le diable, père prieur ?

— Le diable, oui, Pierre. Nous avons toujours su que les juifs ne se préoccupaient guère des intérêts de la France. Ils s'entêtent à semer la discorde, le blâme et la culpabilité dans les cœurs, plus de quarante ans après l'occupation allemande. Ce désir de vengeance me paraît d'inspiration diabolique. Pas à vous ?

Il était mal à l'aise. Où le prieur voulait-il en venir ?

— Mais si, reprit Dom Olivier. Ces juifs ont envoyé l'un des leurs du Canada pour vous tuer. Une fois son travail accompli, il aurait laissé cette déclaration sur votre cadavre. Et quand on vous aurait retrouvé, votre mort aurait eu un gros retentissement, ce qui aurait donné aux juifs l'occasion de ressortir de vieilles histoires, comme la rafle du vélodrome d'Hiver et les trains de Drancy. Des politiciens, des hommes dignes, qui ont occupé des positions élevées et qui, malgré leur âge, risquent encore des poursuites et des procès, se seraient vus accusés de crimes contre l'humanité. Notre pays se serait sali aux yeux du reste du monde. Quel dommage que cette déclaration ait été retrouvée sur le corps ! Mais vous ne pouviez pas savoir, bien sûr.

Il regarda le prieur, cet homme presque aveugle, frêle, la tête agitée d'un mouvement d'oscillation incontrôlable, qui s'essuyait machinalement le menton avec son mouchoir rouge.

— La déclaration, mon père?

Dom Olivier se redressa avec peine sur sa chaise.

— Ah! ce dos... C'est un tel supplice parfois. Oui, la déclaration. Lorsque vous l'avez tué, vous ne saviez pas qu'il avait ce papier sur lui, j'imagine? Peut-être que si, en fait. Je me suis posé la question. L'homme de Salon était canadien, lui aussi. Avez-vous retrouvé le même tract sur lui?

— Je ne comprends pas, père abbé.

Pour la première fois, le religieux sourit.

— Vous connaissez notre ami Dom André Vergnes, le prieur de Saint-Christophe, à Aix? Bien évidemment. Nous le connaissons tous les deux. Il est proche des Chevaliers. Nous sommes restés amis, malgré nos divergences dogmatiques. La semaine dernière, il m'a appelé pour me dire que nous risquions de vous voir prochainement. Il jugeait qu'il était de son devoir de me prévenir qu'il vous soupçonnait d'être le meurtrier de l'homme de Salon. Et je crois que vous avez tué l'homme d'hier. Non, non, ne prenez pas cet air alarmé, Pierre. Ce n'est pas moi qui vous reprocherai de vous être défendu contre un assassin. D'autant plus quand l'assassin en question est un émissaire du diable. Je ne peux que vous le répéter une fois de plus : vous êtes l'un des nôtres et je ferai mon possible pour vous protéger de nos ennemis. Mais j'ai peur pour vous, Pierre. Quelqu'un sait où vous trouver. Vous n'avez pas une idée de son identité?

— Non, père abbé.

— Avez-vous songé à vous expatrier? À quitter la France? Je sais que vous avez toujours refusé de laisser vos ennemis vous contraindre à un exil douloureux. Mais aujourd'hui... Je ne sais pas. Qu'en pensez-vous?

— Je pense que c'est une solution qu'il faut envisager.

— Bien. Réfléchissez-y. Si vous vous décidez à émigrer, nous pourrons peut-être vous aider.

— C'est très aimable de votre part, père abbé. Mais j'ai des amis laïques haut placés qui pourraient m'aider à obtenir un passeport du Vatican.

— Si j'étais vous, je n'attendrais rien de ce côté. Nous ne pouvons plus compter sur Rome aujourd'hui. Pie XII, Dieu ait son âme, n'est plus. Lui savait que les Allemands n'étaient pas les vrais ennemis de la foi. On ne peut pas en dire autant du pape actuel.

— Père abbé, mes amis ont peut-être d'autres appuis. Ils sauront quoi faire. Mais s'ils m'abandonnent, le soutien que vous pourrez m'apporter sera le bienvenu.

Dom Olivier se leva avec difficulté et s'avança pour l'étreindre. La peau humide et malsaine du religieux frotta contre sa joue.

— Nous sommes tous entre les mains de Dieu, dit le prieur, et je suis sûr que Dieu vous a protégé hier, comme il l'a toujours fait par le passé. À présent, je dois aller à la chapelle pour célébrer la messe. Si vous souhaitez vous joindre à nous, ce sera avec plaisir.

Il courba la tête en un geste d'humble acceptation. Le commissaire attendrait.

35

— Ce n'est qu'une hypothèse, disait Roux. Mais pour l'instant, c'est tout ce que j'ai.

La juge Livi leva les yeux du cahier d'écolier qu'il lui avait donné.

— C'est extraordinaire ! Et vous avez l'adresse ?

— Oui, on l'a trouvée facilement. Il semblerait que la Fraternité soit étroitement liée au siège de Mgr Lefebvre en Suisse. La DST la tient à l'œil. Le bâtiment qui héberge le prieuré lui a été donné par le maire de Nice, contre l'avis de l'évêque.

— C'est étonnant. Pourquoi le maire ferait-il une chose pareille ?

— Un autre mystère, répondit Roux. Mais si Brossard se cache là-bas, le prieur Dom Olivier Villedieu fera tout pour nous empêcher de le capturer.

— Je suis sûre que vous réussirez.

Elle s'installa devant une machine à écrire.

— J'ai toute confiance en vous, colonel. Donnez-moi l'adresse du prieuré, je m'occupe du mandat de perquisition.

Elle commença à taper puis s'interrompit.

— Vous savez, ce serait le moment idéal pour arrêter Brossard. Avec ces derniers meurtres, l'affaire dépasserait le simple cadre politique.

— Que voulez-vous dire ?

— Vous connaissez les médias. L'histoire ne les intéresse pas. Le meurtre se vend mieux que les vieilleries de la guerre. Mais avec un double meurtre, deux assassins morts et l'implication de l'Église, l'affaire aura un retentissement international si vous l'arrêtez. Cela obligera peut-être mes supérieurs au ministère de la Justice et à l'Élysée à lâcher leurs autres protégés, accusés eux aussi de crimes contre l'humanité. Leurs procès suivront alors celui de Brossard.

— Si je le retrouve à temps.

— Comment ça ?

— C'est une course que je peux perdre, expliqua Roux. Quelqu'un cherche à le tuer. Quelqu'un qui le connaît et qui connaît ses déplacements mieux que nous.

— Écoutez, j'ai réfléchi. Pourquoi quelqu'un à Paris lui verse-t-il une grosse somme à intervalles réguliers ? Ce quelqu'un n'a apparemment rien à voir avec l'Église ni avec les Chevaliers. La rente des Chevaliers s'élève à 3 000 francs par mois. Une aumône. Un acte de charité. Mais l'autre paiement semble plus conséquent. Cela ne vous met pas la puce à l'oreille ?

— Quelqu'un qui le dédommagerait pour des services rendus ? Ou pour qu'il se taise ?

— Quelqu'un qui ne veut surtout pas que Brossard soit capturé et amené devant un tribunal, compléta la juge. Qui pourrait être ce mystérieux mécène, à votre avis ?

— Un personnage haut placé, sur qui pèse la même charge ?

— Précisément.

36

Quoique agenouillé au fond de la chapelle de la Fraternité, Brossard ne priait pas. Devant l'autel, Dom Olivier célébrait la messe en latin, comme c'était la coutume autrefois dans tous les pays du monde. Mais ce temps était révolu. Aujourd'hui, dire la messe en latin était un acte de rébellion contre la papauté et la modernité. Les gestes familiers de Dom Olivier et les formules inscrites dans sa mémoire le ramenaient des années en arrière, avant la guerre, à l'époque de cette douce France aujourd'hui disparue à jamais. Au déclin de sa vie, qu'est-ce qui le retenait encore dans ce pays gouverné au profit des étrangers, un pays où une grâce présidentielle pouvait être annulée par une loi que l'internationale juive avait sortie de sa manche?

Il prit sa décision pendant la messe, dans ce havre que lui avait offert Dom Olivier. Même si le commissaire refusait de lui fournir un passeport, même si on lui supprimait ses versements, il quitterait la France. Agenouillé dans l'église, il sentait l'épaisse ceinture porte-monnaie qui ne le quittait jamais et à laquelle il confiait une partie de son pécule, amassé à force d'économies. Entre cette somme et l'argent qu'il avait placé dans une banque de Berne, il serait à l'abri du besoin pendant un certain temps.

La messe se terminait. Il se leva avec les autres, fit une génuflexion devant l'autel et se mit en quête du père Rozier, qui lui avait assuré la veille qu'il pourrait se servir du téléphone. Il ne se trouvait pas dans son bureau, mais un tout jeune prêtre était assis à sa place.

— Vous êtes bien monsieur Pouliot? lui demanda ce dernier.

— Oui, c'est moi.

— Vous tombez bien, je vous cherchais. Vous n'étiez pas dans votre chambre.

— J'assistais à la messe. Pourquoi?

— Quelqu'un a téléphoné pour vous tôt ce matin. Bien entendu, je lui ai dit que nous n'avions jamais entendu parler de vous. Mais il semblait être sûr que vous seriez ici. Un certain M. Saussaies. Il veut que vous le rappeliez. Il a dit que vous aviez son numéro.

— Merci. Au fait, le père Rozier m'a dit hier que je pouvais utiliser le téléphone de l'atelier de reliure pour être plus tranquille.

— Bien sûr. On ne se sert plus de l'atelier, dit le jeune prêtre en se levant. Suivez-moi, je vais vous montrer.

Au troisième étage, les stores fermés, pour protéger l'atelier du soleil, plongeaient la pièce dans une obscurité presque totale. Le prêtre en ouvrit un et lui montra où se trouvait le téléphone, avant de se retirer en refermant la porte derrière lui.

Avignon. Il composa le numéro. Le commissaire décrocha à la première sonnerie.

— Monsieur Pierre à l'appareil.

— Où êtes-vous, bon sang? demanda le commissaire d'un ton irrité.

— À Nice, monsieur. Au prieuré Saint-Donat. Vous avez appelé dans la matinée?

— Bien sûr que j'ai appelé! Où étiez-vous passé? Pourquoi est-ce que vous ne m'avez pas téléphoné hier soir?

— C'était un peu compliqué. Vous êtes au courant pour hier?

— Je ne vois pas comment je pourrais ne pas l'être. Tout le pays est au courant !

— C'est ce dont je voulais vous parler.

— Non, c'est moi qui veux vous parler, décréta le commissaire. L'autre jour, vous parliez de quitter la France. Je pense que c'est le moment ou jamais.

Une vague de soulagement le submergea soudain, le laissant étrangement faible, comme s'il allait pleurer.

— C'est exactement ce que je me disais. Aussi vite que possible. Faut-il vraiment que ce soit l'Amérique du Sud ?

— L'Amérique du Sud ?

— Il y a quelques années, vous aviez mentionné la Bolivie. Je suppose que le Vatican pourra nous aider ?

— Sortez-vous cette idée de la tête, répondit le commissaire. Vous n'obtiendrez rien de Rome en ce moment. Non, nous allons nous occuper du passeport nous-mêmes. Vous vous souvenez de l'inspecteur Pochon ?

— Pochon ? Oui. Vous me l'avez envoyé une fois.

— C'est ça. Eh bien, je vais vous le renvoyer. En fait, il doit arriver à Nice dans la matinée. Je lui ai dit de vous appeler pour convenir d'un rendez-vous dans un lieu de son choix. Vous devez vous rencontrer ce soir. Et je veux que vous n'en parliez à personne, pas même à votre ami Dom Olivier. C'est bien compris ?

— Oui. Puis-je vous demander dans quel pays vous comptez m'envoyer ?

— Où souhaitez-vous aller ?

— Je n'en sais rien. Tant que l'endroit n'est pas envahi par les Noirs et les Arabes.

— Vous n'aurez qu'à en discuter avec Pochon. Il va falloir faire vite. Je veux que vous ayez quitté le pays avant la fin de la semaine. D'ici là, mis à part le rendez-vous de ce soir, défense de mettre le nez dehors. Votre portrait est partout, dans les journaux et à la télé. C'est la raison pour laquelle il vaut mieux que vous retrouviez Pochon après la tombée de la nuit.

Quand vous sortirez, faites bien attention à ne pas être suivi.

— Oui.

— Bien. Attendez l'appel de Pochon. Et avertissez les moines, qu'ils vous le passent immédiatement.

— Oui. Merci.

— Bonne chance. Ne vous inquiétez pas. Tout va bien se passer.

À l'instant où il entendit le commissaire raccrocher, il se souvint qu'il ne lui avait pas posé de questions au sujet des versements. Ils ne vont pas arrêter de me payer, quand même ? Il faudra que j'interroge à Pochon.

37

Roux atterrit à Nice à 15 heures. Daniel Dumesnil l'attendait dans le hall de l'aéroport. Les deux officiers, en uniforme, se serrèrent la main avec un sourire, puis retrouvèrent le chauffeur, lui aussi en uniforme, qui les attendait au volant de la Jeep.

— J'ai quatre hommes sur place depuis 10 heures ce matin, dit Dumesnil. Je leur ai parlé il y a quinze minutes. Pour l'instant, rien à signaler. Nous surveillons les deux portes de service du prieuré, ainsi que l'entrée principale qui donne sur l'avenue Jean-Jaurès. J'ai mis un homme en civil de ce côté pour éviter de les alerter.

— Parfait.

La Jeep avait quitté l'aéroport et roulait à présent sur la promenade des Anglais.

— Il ne se trouve peut-être pas au prieuré en ce moment, dit Roux. Il a pu aller en ville. Mais s'il est hébergé à Saint-Donat, il sera rentré d'ici à l'heure du dîner. Il a quand même soixante-dix ans.

— Oui, mais il sait toujours se servir d'un revolver, dit Dumesnil en riant.

— Fixons-nous une heure, dit Roux. Si à 19 heures tes hommes n'ont toujours observé aucun mouvement, nous pourrons en conclure qu'il se trouve à l'intérieur. À quelle heure mangent-ils, à ton avis ?

— Les moines sont des couche-tôt. Je dirais 19 h 30 au plus tard.

— Très bien. On se présentera là-bas à 20 heures.
— Et en attendant ?
— En attendant, on prend notre mal en patience.

38

Le repas de midi consistait en une tranche de gros pain du monastère et en un bol rempli d'un liquide que le moine assis à sa gauche qualifiait de soupe de poisson. Dom Olivier dit le bénédicité, bien qu'il n'y eût rien à manger devant lui.

— Le prieur suit un régime particulier? demanda-t-il à son voisin.

— Dom Olivier jeûne, lui répondit-on. Pendant toute la semaine, il ne mangera que la collation du matin.

Il regarda le bol graisseux d'eau de vaisselle posé devant lui. Avec ce genre de nourriture, jeûner n'était pas une pénitence. En temps normal, il aurait attendu l'après-midi pour aller prendre un vrai repas dans un bar. Mais aujourd'hui, ce n'était pas possible. Il prit un peu de poisson dans sa cuillère, puis renonça à le goûter.

— Monsieur Pierre?

C'était le père Rozier.

— Si vous voulez bien monter, il y a un appel pour vous.

— C'est...?

— Oui. Le monsieur dont vous avez parlé.

L'atelier de reliure était sombre. Le store ouvert avait été refermé depuis sa précédente visite. Une lumière rouge clignotait sur le téléphone.

— Allô ? Monsieur Pierre à l'appareil.

— Monsieur Pierre ?

— Oui.

— Vous vous souvenez de moi, n'est-ce pas ?

— Oui, tout à fait. Comment allez-vous ?

— Dites-moi, vous avez beaucoup de bagages ?

— Non. Aucun, en fait. J'ai dû abandonner mes valises à Villefranche. Je ne me voyais pas y retourner pour les récupérer.

— Je comprends. En tout cas, cela simplifie les choses. Ceux qui vous suivent semblent anticiper le moindre de vos déplacements. Dans un premier temps, nous allons donc vous emmener dans un lieu totalement nouveau. Écoutez-moi attentivement. Ce soir, avertissez vos amis religieux de votre départ. Mais rien de plus.

— Et ma voiture ?

— Ne vous approchez pas de votre voiture. Oubliez-la. Vous n'en aurez plus besoin.

— Vous voulez que je l'abandonne ?

— Oui, je veux que vous l'abandonniez ! Est-ce que vous vous rendez compte de la situation dans laquelle vous vous trouvez ? On risque de vous suivre ce soir. Ils savent peut-être déjà où vous êtes. C'est à moi de vous aider à les semer. Surtout, ne bougez pas du prieuré avant notre rencontre. À 21 heures, sortez et prenez un taxi pour aller à l'adresse que je vais vous donner. Vous avez un crayon ?

— Oui.

— Rendez-vous au café Corona, au 7, rue René-Clair. Je vous y attendrai avec une voiture et je vous conduirai dans une maison sûre, où vous resterez le temps de prendre les dispositions nécessaires.

— Les dispositions ?

— Les dispositions pour vous faire sortir de France aussi vite que possible. J'espère avoir tout réglé d'ici après-demain.

— Mais où, si je puis me permettre ? Dans quel pays ?

— Nous discuterons de tout ça ce soir. Pour l'instant, faites ce que je vous dis. Vous avez noté l'adresse ?

— Oui.

— C'est près du château, vous voyez où c'est ?

— Oui, parfaitement.

— Bien. Je vous y attendrai à 21 h 15. Et ne vous tourmentez pas. Nous allons nous occuper de vous. Tout ira bien.

— 21 h 15, au Corona. Merci.

Après avoir raccroché, il se tint un moment immobile dans la pièce sombre, puis s'approcha des stores et en ouvrit un. Le soleil cognait, une boule de feu aveuglante couleur bronze. Il n'y avait pas un souffle de vent. Sur le toit en terrasse du bâtiment voisin, des culottes de femme et des chemises d'homme pendaient sur une corde à linge, fantomatiques sous le soleil de midi. L'exil ne vaut pas mieux que la prison. Je suis français, français jusqu'au bout des ongles. Je ne parle que le français, la France est mon pays. Je ne veux pas partir.

Une jeune fille blonde sortit sur la terrasse. Elle portait un short mais rien en haut. Il la vit se pencher sur un arrosoir, puis arroser un bac de fleurs. La vue de ses seins nus déclencha chez lui un début d'érection. Elle se redressa, regarda vers la fenêtre, puis détourna les yeux. Elle ne m'a pas vu. Mais il referma le store.

Au bout du compte, c'est toujours pareil. C'est toujours les juifs qui gagnent. Souviens-toi des paroles de Dom Olivier. Le désir de vengeance des juifs est inspiré par le diable. Il se trompe et il a raison. Le diable n'est pas une créature avec des sabots et une queue fourchue. Le diable est le juif.

39

Deux véhicules civils les attendaient devant la caserne. Pour les obtenir, Roux avait prétexté une descente dans une usine soupçonnée d'employer des étrangers en situation irrégulière. Personne ne connaissait leur véritable destination, pas même les sous-officiers qui l'accompagnaient. Nice était une ville aussi dangereuse que Paris. Il fallait éviter la moindre fuite. Si la police locale avait vent de l'histoire, il risquait de perdre son homme.

À 20 h 05, les deux véhicules s'arrêtèrent devant l'entrée principale du prieuré Saint-Donat. L'homme en civil qui montait la garde les rejoignit, tandis qu'on avertissait par talkie-walkie les deux gendarmes placés devant les autres portes que l'opération allait débuter. Lorsque Roux tira sur l'antique sonnette, un bourdonnement bruyant retentit à l'intérieur du bâtiment. Il sonna de nouveau. Il pensait qu'ils mettraient du temps à répondre. Le temps de dissimuler Brossard. Pourtant, la porte s'ouvrit étonnamment vite sur un prêtre d'une cinquantaine d'années.

— Je suis le père Rozier, le père hospitalier de ce lieu. Qui désirez-vous voir ?

— J'aimerais voir le prieur. J'ai un mandat de perquisition.

— Le prieur ? Dom Olivier se trouve à la chapelle. Nous sommes tous à table, mais Dom Olivier observe un jeûne en ce moment. Je m'excuse, ces détails vous ennuient sans doute, mais je voulais juste vous expliquer pourquoi il était préférable de ne pas le déranger.

— Il ne sera pas nécessaire de le déranger, déclara Roux. Voici le mandat. Mes hommes vont commencer la perquisition.

Le père Rozier leva les mains, refusant de prendre le mandat.

— Dans ce cas, je pense qu'il vaut mieux parler à Dom Olivier. Si vous voulez bien me suivre, colonel.

Roux se tourna vers l'adjudant Picot et ses deux collègues.

— Attendez ici.

Ils empruntèrent un couloir qui passait devant le réfectoire. Douze prêtres étaient assis autour d'une longue table, des bols devant eux. Personne ne mangeait. Tous les regards le suivirent, tandis qu'il pénétrait dans la petite chapelle à la suite du père Rozier. Un vieillard grand et maigre était inconfortablement agenouillé dans la nef, face au tabernacle, les bras en croix. Le moine le rejoignit et se pencha sur lui, lui murmurant quelques mots à l'oreille. Le prieur se signa, se leva avec une génuflexion et traversa la nef en direction de Roux.

— Si vous le voulez bien, lui dit-il d'une voix chevrotante, j'aimerais autant que nous sortions.

Sa démarche était hésitante et sa main tremblait lorsqu'il la plongea dans le bénitier qui se trouvait juste avant la porte de l'église. Par politesse, Roux l'imita et fit le signe de croix avant de sortir. Le prieur regarda les gendarmes en uniforme qui attendaient dans le couloir.

— Que se passe-t-il?

— Nous cherchons Pierre Brossard. Nous avons des raisons de croire qu'il se trouve ici.

— Pierre Brossard, répondit le prieur. Je le connais bien. Il a toujours été le bienvenu ici. Mais je suis heureux de pouvoir vous dire que vous perdez votre temps. Par chance, il ne se trouve pas sous ce toit.

— Tant pis, nous devons procéder à une perquisition.

— Mais bien sûr. Vous devez faire votre devoir,
comme nous tous. À présent, si vous voulez bien
m'excuser ? Père Rozier, soyez aimable, veuillez guider
ces messieurs.

Il leur adressa un hochement de tête avant de disparaître à l'intérieur de la chapelle.

— Bien, dit Roux à ses hommes. Vous allez commencer par en bas. Il y a un sous-sol, non ? ajouta-t-il à
l'adresse du religieux.

— Oui. Par ici. Je vais vous montrer.

La fouille débuta. Mais à mesure qu'elle avançait, la
tension et l'excitation de Roux s'évanouissaient.
Quelque chose ne tournait pas rond. Soit le prieuré
recelait une cachette que les moines jugeaient introu-
vable, soit l'intuition géniale qu'il avait eue sur le coup
de 6 heures n'était qu'une fausse piste. Néanmoins, s'il y
avait la moindre chance que cette cachette existât, il
devait la trouver. Pendant les vingt minutes suivantes, ils
procédèrent à une perquisition en règle, ne négligeant
aucune pièce, aucun placard, aucun couloir, aucune fis-
sure du bâtiment. Ils ne trouvèrent rien.

40

— Vous tenez le coup ?

Il haletait si fort qu'il ne pouvait pas parler.

— Oui.

— Restez baissé.

Ils se trouvaient sur le toit à présent. Le jeune moine qui l'avait guidé jusque-là se pencha en avant, jeta un coup d'œil à la rue en contrebas par-dessus le garde-fou, puis lui fit signe de s'approcher. Hors d'haleine, il avança en crabe. Son dos le faisait souffrir le martyre dans cette position accroupie. Le prêtre traînait à présent une longue planche de bois vers le vide qui séparait le prieuré de l'immeuble voisin.

— Vite !

Le prêtre lui fit signe, puis se releva et fit glisser la planche entre les deux bâtiments. À bout de souffle, le cœur battant, il rejoignit le jeune religieux abrité derrière le garde-fou.

— Le concierge du bâtiment voisin s'occupe également du prieuré. Il nous a déjà aidés par le passé. En bas, il y a une entrée de service que les gens croient condamnée. Vous pourrez sortir par là. Vous êtes sûr que ça va aller ?

— Oui.

— Il va falloir traverser sur cette planche. J'ai jeté un œil dans la rue. Les gendarmes surveillent les portes à l'arrière et à l'avant. Il y a un risque, mais je ne pense pas qu'ils aient posté d'hommes dans la ruelle. Il va falloir faire vite. Ils peuvent monter sur le toit d'un instant à l'autre.

— Je sais.

Il avança et se mit à quatre pattes sur la planche. Il n'osait pas se lever. Il avait toujours eu peur du vide. La tête lui tournait. Son cœur cognait et il respirait difficilement. Pourtant, il risqua un coup d'œil vers l'étroite ruelle en dessous. Il n'y avait personne. Il commença à ramper. La passerelle de fortune oscilla dangereusement. Il fit une pause, puis reprit sa progression. La planche tangua encore. Il ferma les yeux, tremblant. Je vous en prie, Seigneur, aidez-moi ! Aidez-moi !

— Continuez, c'est bien.

La voix du jeune prêtre derrière lui, un murmure. Il avança encore, tant bien que mal. Lorsqu'il ouvrit les yeux, il se rendit compte qu'il était presque arrivé de l'autre côté.

— Continuez. Continuez.

Il parcourut le dernier mètre, toujours en rampant, et sentit la pierre du garde-fou lui brûler le bout des doigts. Il se hissa par-dessus et se laissa glisser sur le toit. Aussitôt, il entendit le raclement de la planche que l'on tirait vers le prieuré. Il se remit sur ses pieds. Le religieux interrompit sa tâche pour lui adresser un signe d'adieu et lui désigner une porte sur le toit.

— Vite !

Trébuchant, il courut presque jusqu'à la porte. Au même instant, elle s'ouvrit et un homme y passa la tête. Jeune, costaud, moustachu, il portait un jean et un tee-shirt blanc taché. D'un geste pressant, le concierge lui fit signe d'entrer. Il pénétra dans le salon d'un appartement qui ressemblait plus à une cabane. Au-delà de cette pièce, on apercevait une chambre, un coin cuisine et, en partie dissimulées par un rideau de perles, des toilettes. Les murs du salon étaient couverts de vieilles affiches publicitaires vantant la Côte d'Azur et de copies grossières de tableaux représentant des paysages provençaux. Des meubles en rotin vert s'affaissaient sous le poids des années. Dans une chaise longue, à côté de la fenêtre, une femme fumait une cigarette en le regardant avec un curieux mélange de mépris et d'indifférence. Elle portait un short et un petit haut rouge. C'était la fille aux seins nus qu'il avait épiée un peu plus tôt. Le jeune moustachu lui désigna une chaise.

— Asseyez-vous, monsieur. Ça va ?

Il s'assit, s'efforçant de reprendre son souffle, et il hocha la tête.

— Les prêtres sonnent la cloche lorsqu'ils ont besoin de moi. C'est comme ça que j'ai été prévenu de votre arrivée. Je m'occupe de leur chaudière. Vous n'êtes pas la première personne qu'ils m'envoient.

— Il s'en contrefiche, intervint la jeune femme. Fais un peu attention, tu ne vois pas qu'il se sent mal. Apporte-lui un verre d'eau. Vous voulez un verre d'eau, papi ?

Le jeune homme se rendit dans ce qui tenait lieu de cuisine. Lorsque la jeune femme se leva de sa chaise longue, elle alluma une nouvelle cigarette à l'aide de la première et sortit.

— Voilà.

Il prit le verre.

— Merci. Il paraît qu'il y a moyen de sortir d'ici discrètement.

— Oui, mais pourquoi se presser ? Attendez que les flics soient partis.

L'eau avait mauvais goût. Il n'avait pas ses cachets. Une douleur aiguë transperça sa poitrine. Il hoqueta.

— C'est quoi au juste ce bâtiment ? Il y a d'autres locataires ?

— Non, uniquement des bureaux, répondit le concierge. Nous vivons seuls ici.

La jeune femme revint.

— Deux gendarmes viennent de monter sur le toit du prieuré. Je leur ai envoyé un baiser. Ils m'ont fait coucou.

— Ils sont encore là, mademoiselle ?

— Non, non. Ils sont redescendus. Ne vous faites pas de bile, papi. Ils ne vont plus être longs.

Il se pencha en avant sur sa chaise, posant le verre à ses pieds. La douleur affluait par vagues. Et la peur avec elle. Mon cœur, est-ce que c'est mon cœur ? Non, je connais ça, ce sont mes nerfs. Du calme.

Le jeune homme s'approcha de la table à côté de la cuisine et se versa un demi-verre de vin rouge.

— Que comptez-vous faire ? Vous voulez retourner chez les prêtres ?

— De quoi je me mêle ! coupa la fille.

— Je demandais ça juste histoire de faire la conversation !

— Non, je n'y retourne pas. Je vais ailleurs. Peut-on trouver un taxi dans le coin ?

— En sortant de l'immeuble, vous allez tomber dans une ruelle, dit le jeune homme. Au bout, vous trouverez la rue Récamier. Il y a une station de taxis un peu plus loin sur la gauche.

— Merci. Vous n'auriez pas de l'aspirine, par hasard ?

— Cécile, on a de l'aspirine ?

— Au-dessus de l'évier.

Le concierge lui apporta les cachets. Il en prit deux, qu'il avala avec une gorgée d'eau tiède. Il regarda sa montre : 20 h 37.

— Vous êtes sûr que ça ne risque rien ? C'est que je ne peux pas attendre trop longtemps. J'ai un rendez-vous à 21 heures.

— Il n'y a aucun risque. Personne ne sait que l'on peut sortir par là. Personne, sauf nous.

— Attendez, lança la fille. Je crois avoir entendu quelque chose.

— Quoi ? Quoi ? bredouilla-t-il, pris de panique.

— Calmos, papi, dit-elle.

Elle sortit. Il la regarda marcher jusqu'au bord du garde-fou. Elle revint.

— Un colonel, rien de moins. Vous devez être vachement important ! De toute façon, ils s'en vont.

Il se leva.

— Moi aussi, je dois partir.

Le jeune homme avala son verre de vin cul sec.

— Dans ce cas, allons-y.

Ils ressortirent sur le toit. En partant, il se tourna vers la fille. Elle lui sourit :

— Je vous ai vu tout à l'heure. Mes seins vous ont plu ?

Il fit semblant de ne pas avoir entendu. La douleur commençait à refluer. Il suivit le jeune homme qui lui fit traverser la terrasse pour gagner une autre porte. Là, ils prirent un petit escalier qui menait au dernier étage de l'immeuble. Il faisait sombre. Le concierge alluma et le guida jusqu'à un ascenseur de service, au bout d'un couloir. Il écarta la grille de fer et entra derrière lui. L'ascenseur descendit quatre étages et s'immobilisa avec un bruit sourd au niveau du sous-sol. Ils traversèrent la chaufferie et pénétrèrent dans une autre pièce remplie de vieilles bonbonnes de propane et de bouteilles de vin vides. Il poussa sur le côté une grande plaque de tôle ondulée. Dehors, sous le soleil provençal déclinant, il découvrit une ruelle étroite et sale bordée de poubelles. Le jeune homme se tourna vers lui. Ses lèvres s'ouvrirent et un sourire apparut sous son énorme moustache.

— Et voilà. La route de la liberté. Bonne chance !

Ils se serrèrent la main. Je devrais lui donner quelque chose. Mais son argent se trouvait dans sa ceinture porte-monnaie et c'était risqué de la montrer à un inconnu.

— Que Dieu vous bénisse, mon fils, et encore merci.

Il entendit la plaque de tôle racler le béton et vit le jeune homme refermer derrière lui. La douleur avait quasiment disparu. La ruelle empestait les ordures. Pourtant, il resta là un moment, à respirer avidement l'air fétide de la liberté. C'était passé près, plus près qu'à aucun moment depuis la fin de l'Occupation. Il regarda sa montre : 20 h 49. Juste le temps d'attraper un taxi et de filer au Corona, puis il laisserait Pochon prendre les choses en main. Enfin, il acceptait son destin. Il était temps de partir, d'arrêter de courir, de s'asseoir au soleil, dans une ville étrangère, un verre à la main, un domestique pour lui préparer ses repas. Plus besoin de bouger, de scruter à droite et à gauche chaque fois qu'il mettrait le nez dehors. J'ai gagné.

Il n'y avait personne dans la ruelle. Au-dessus de lui, dans la bande étroite de ciel entre les deux bâtiments, le soleil était passé de l'orange vif au rouge sang. Bientôt, il ferait nuit dans les rues de Nice. Il se mit à marcher, le souffle court mais le pas confiant. Au bout de la rue, une plaque : RUE RÉCAMIER. Et un peu plus loin, comme le jeune homme le lui avait dit, une station de taxis.

Le Corona était un petit café décoré dans le style Belle Époque, avec des lampes imitant d'anciennes appliques à gaz. Leur lumière vacillante jetait des ombres mouvantes, si bien que, dans un premier temps, il ne vit pas l'inspecteur Pochon, assis à une table au fond de la salle. Ce dernier lui fit signe. Pochon ne se leva pas mais lui tendit la main, à la manière des flics lorsqu'ils traitent avec vous et savent que vous êtes un vendu.

— Pas de problème ? Ça a été pour venir jusqu'ici ?

Il s'assit et lui raconta ce qui s'était passé. Petit, grisonnant, la soixantaine, Pochon l'écoutait avec une impatience distraite, comme s'il avait déjà entendu toute l'histoire.

— Typique des gendarmes, commenta Pochon. Il faut toujours qu'ils fassent tout à moitié. Si c'était moi qui avais fouillé ce prieuré, je peux vous dire que vous ne seriez pas assis ici à l'heure qu'il est.

— Mais j'y suis. Alors, que fait-on maintenant ?

— Je vais vous faire passer la frontière. Je pensais attendre demain, mais après ce que vous venez de me raconter, je crois qu'il vaut mieux partir dès ce soir. Nous passerons par Menton et nous dormirons à Vintimille. Tout ira bien. J'ai des papiers de la police. Les douaniers nous dérouleront le tapis rouge. D'ici à ce week-end, je devrais avoir le passeport et les visas.

— Un passeport, quelle sorte de passeport ?

— Français, bien sûr, répondit l'inspecteur. Regardez-vous, vous ne pourriez être que français.

Brossard ne put s'empêcher de rire.

— Mais où m'envoyez-vous ?

— Que pensez-vous du Canada ? Cela vous conviendrait ?

— Le Canada ?

Il poussa un soupir de soulagement.

— Ils parlent français là-bas, n'est-ce pas ?

— Certains, en tout cas. Bien, allons-y.

Pochon posa de l'argent sur la table et se leva. Il n'était pas grand. Moins d'un mètre soixante.

— Prêt ? aboya-t-il, comme s'il s'agissait d'un ordre.

Il hocha la tête. En poussant la porte de la rue, il pensa : le Canada.

— Inspecteur, je voulais vous demander quelque chose. Mes paiements, vous allez continuer à me les envoyer, n'est-ce pas ? La vie est chère là-bas.

Pochon le regarda et secoua la tête avec irritation.

— Ce n'est pas le moment. La voiture se trouve sur le parking, au bout de cette petite rue.

L'inspecteur regarda à droite et à gauche, puis lui fit signe de le suivre. Le petit homme aux épaules voûtées s'enfonçait à grandes enjambées dans l'obscurité crasseuse de la ruelle qu'aucune lampe n'éclairait. Soudain, son instinct l'avertit d'un danger. Il hésita.

— Vite ! dit le policier en se tournant pour savoir ce qui le retenait.

Mal à l'aise, il avança à son tour dans les ténèbres. À cet instant, il vit Pochon lever les deux mains. Puis il vit l'arme et, presque aussitôt, la balle frappa sa poitrine. Il était à genoux lorsque la seconde le toucha.

Dans la mort, il vit les cadavres alignés, leurs pieds touchaient le mur du cimetière. Ils étaient quatorze, un de moins que le nombre promis à la Gestapo. Les pancartes attachées à leur cou frémissaient doucement dans la brise nocturne. Il faudrait qu'il les enjambe pour atteindre l'autre extrémité de la ruelle. Mais, obéissant à ses ordres, le peloton d'exécution les avait placés proches les uns des autres, si proches qu'il n'avait pas la place pour passer entre eux.

Il tomba en avant et sa tête heurta le trottoir. La douleur le consumait, mais il essaya quand même de réciter la prière que l'Église lui avait apprise, de faire enfin acte de contrition. Mais il ne ressentait aucun repentir. Jamais il ne s'était repenti de ses actes. Et, à présent qu'il demandait pardon à Dieu, celui-ci choisissait de lui montrer quatorze juifs morts.

Pochon sortit une lampe électrique de sa poche et la braqua sur le visage sans vie. Il enfila alors une paire de gants chirurgicaux. Il s'accroupit et, soigneusement, avec deux grosses épingles de nourrice, il accrocha la déclaration sur la poitrine du mort.

Postface

UN ARTISTE DEVANT L'HISTOIRE
par François Delpla[*]

La Déclaration relève d'un genre littéraire particulier, celui du « roman à clé ». Cependant, tandis qu'en règle générale il s'agit d'un jeu où l'on brouille les pistes, ici tout est fait pour que l'on reconnaisse la plupart des personnages principaux. Pierre Brossard est Paul Touvier, le cardinal Delavigne s'appelle Decourtray, Mgr Le Moyne a existé sous le nom de Duquaire, le cardinal Villemorin est Mgr Villot, le professeur Proulx ne peut être que René Rémond – encore que celui-ci ne corresponde nullement à sa description physique –, et le personnage entrevu, mais essentiel, qui a nom Maurice de Grandville porte bien ce prénom, mais son patronyme est Papon.

Quelques personnalités portent leur nom véritable : les papes Pie XII et Jean Paul II, les présidents de la République française, les chasseurs de nazis Simon Wiesenthal et Serge Klarsfeld. D'autres personnages réels, tel l'historien Valentin, sont plus difficiles à identifier.

---

[*] François DELPLA, né en 1948, professeur agrégé, docteur en histoire, est spécialiste de la Seconde Guerre mondiale et des relations internationales. Il est l'auteur de *Churchill et les Français* (Plon, 1993), *Montoire* (Albin Michel, 1995), *Aubrac, les faits et la calomnie* (Le Temps des Cerises, 1997), *Hitler* (Grasset, 1999), *L'Appel du 18 juin 1940* (Grasset, 2000) et, aux éditions de l'Archipel, de *La Libération de la France*, en collaboration avec Jacques Baumel (2004).

Enfin, les policiers Pochon et Vionnet, ainsi que les deux tueurs qu'ils dirigent, sont parfaitement fictifs, comme l'est la « déclaration » qu'ils s'efforcent de placarder sur un fugitif préalablement occis.

La création de Brian Moore s'appuie en grande partie sur un ouvrage historique des plus sérieux, même s'il n'a pas réponse à tout : le rapport de la commission d'experts formée en 1989, suite à l'arrestation de l'ancien milicien Touvier, à l'initiative du cardinal Decourtray, archevêque de Lyon. Elle était chargée, sous la direction de René Rémond, de mettre au jour les protections ecclésiastiques dont avait bénéficié le fugitif depuis 1947. Le cardinal mettait à sa disposition les riches dossiers de son archidiocèse, et priait les prêtres et les religieux ayant eu affaire avec Touvier de se prêter de bonne grâce aux questions. La commission, composée, outre son président, de Jean-Pierre Azéma, François Bédarida, Gérard Cholvy, Bernard Comte, Jean-Dominique Durand et Jean-Marie Hilaire, tous professeurs d'histoire contemporaine dans l'enseignement supérieur, publia son rapport, intitulé *Paul Touvier et l'Église*, en 1992. À cette époque, Brian Moore, dont la plume elle aussi avait été mise en branle par l'arrestation de Touvier, arpentait la France pour s'imprégner de son atmosphère. Parmi les dirigeants d'institutions ayant hébergé le fugitif, seul dom André Poisson, abbé de la Grande-Chartreuse, avait refusé son concours. C'est dans ce livre que Moore put trouver l'essentiel de son information sur l'attitude des milieux ecclésiastiques et leurs états d'âme devant les sollicitations du condamné en fuite.

Cette source constitue, pour les critiques désireux de voir à l'œuvre la création romanesque, un observatoire de premier ordre. Autant Moore suit, parfois à la lettre, les informations relatives au clergé et aux dernières semaines de la fuite de Touvier, autant il s'écarte de la vérité historique pour ce qui touche à la vie familiale de son personnage et ses relations avec les milieux laïques. Loin d'errer constamment de presbytère en monastère,

Touvier avait tout bonnement habité, de 1949 à 1973, la maison paternelle, imposant à son père (décédé en 1963) et à sa nombreuse fratrie une autorité tyrannique. Et s'il avait effectivement contracté en secret un mariage religieux, d'une part ce n'était pas le premier (il avait été marié, père et veuf avant la guerre), d'autre part, loin d'être une relation récréative et épisodique, sa seconde épouse, Monique Berthet, partageait sa vie et lui avait donné plusieurs enfants, ce qui n'était pas pour rien dans l'attendrissement des clercs, comme de certains laïques, devant sa situation.

La Milice est une émanation du régime du maréchal Pétain, dont elle représente la branche la plus dure et la plus disposée à la collaboration avec l'occupant allemand, depuis sa création par Joseph Darnand en janvier 1943 jusqu'à la libération du territoire entre juin et septembre 1944. Les membres de cette police, supplétive de la Gestapo, se terrent alors, s'ils n'ont pu fuir vers l'Allemagne (ce qui est le cas de Darnand, contrairement à une affirmation de « Brossard »), et, lorsqu'ils sont pris, font l'objet de procès, de moins en moins sommaires à mesure que les passions s'apaisent et que les nouveaux pouvoirs se consolident.

Lorsqu'en 1947 Touvier, après trois ans d'une fuite favorisée dès l'origine par certains membres du clergé, et émaillée d'activités délictueuses (l'épisode de la blessure lors d'un hold-up est réel), est arrêté et interrogé à la direction parisienne des services de police, rue des Saussaies, il risque encore le peloton. Ayant exercé dans la Milice des activités nationales et joué un rôle dirigeant dans son activité à Lyon, il est accusé d'avoir participé en janvier 1944 à l'assassinat du président de la Ligue des droits de l'homme, Victor Basch, et de son épouse, tous deux octogénaires. Mais on lui reproche surtout un meurtre ouvertement raciste. À Rillieux-la-Pape, le 29 juin 1944, la Milice a voulu venger l'un de ses membres, Philippe Henriot, influent ministre vichyssois de l'Information, que des résistants parisiens avaient exécuté l'avant-veille ; dans un groupe de prisonniers, Touvier choisit sept Juifs et les fait fusiller, laissant sur chaque cadavre une grande étiquette portant son nom. Cette action, comme beaucoup d'autres, a été accompagnée de fructueux pillages. Pour Touvier, la collaboration avec l'occupant a été une bonne affaire financière, dont il a su préserver en partie les gains.

Rien ne prouve que cet ancien élève indocile des bons pères, devenu à la fin de la guerre une franche canaille (il vivait alors, suivant le rapport de la commission, avec une prostituée) et demeuré, jusqu'à la fin de ses jours, d'un antisémitisme et d'un anticommunisme obsessionnels, ait jamais éprouvé ce que l'Église catholique appelle un repentir sincère. Il avait, en effet, de solides motifs terrestres de rechercher la protection de cette institution et, tout au long des années d'après-guerre, il a abreuvé de confessions pour le moins incomplètes les ecclésiastiques auxquels il demandait service.

Élevé dans un milieu catholique traditionaliste, il connaissait beaucoup de religieux (certains avaient été ses condisciples) et, surtout, il savait leur parler. Outre des asiles et des subsides, il cherchait auprès d'eux une aide pour régulariser sa situation juridique. Condamné à mort par contumace après qu'il eut, en 1947, quitté avec une facilité suspecte le local où on l'interrogeait, il aurait été jugé et aurait pu se défendre en cas d'arrestation ou de reddition, mais il s'y refusait, au prétexte que ses ennemis exerceraient sur le tribunal une puissance occulte et vengeresse. Il voulait soit une amnistie, soit une grâce présidentielle. Il espéra beaucoup, en 1958, de l'avènement de la Ve République dont le président, Charles de Gaulle, était certes un résistant, et lequel, mais aussi un homme soucieux de ne pas éterniser les querelles et un catholique pratiquant. Les plus cléricaux de ses ministres furent approchés par les amis de Touvier, dont le cercle commençait à s'étoffer et à se diversifier, regroupant des croyants de nuances variées. Mais le Général resta inflexible.

Sous la présidence de son successeur, Georges Pompidou, les pressions devinrent intenses, notamment à la faveur de l'accession d'un archevêque lyonnais, Mgr Villot, à la secrétairerie d'État, plus haute charge vaticane après celle de pape. C'est son secrétaire, le chanoine Duquaire, connaissant et aidant Touvier depuis 1957, qui s'agitait le plus, compromettant par son action Mgr Villot et trois cardinaux lyonnais successifs sans qu'ils s'engagent personnellement très activement.

La grâce que Pompidou, de guerre lasse, signe le 23 novembre 1971 est une demi-mesure et n'a rien d'un blanchiment. Les faits ayant, lors du procès par contumace, été qualifiés de crimes de guerre, l'action judiciaire était éteinte, par prescription, depuis 1967, mais Touvier restait frappé de trois peines dites secondaires : confiscation des biens, interdiction de séjour dans vingt départements dont la Savoie, privation des droits civiques. Pompidou n'effaça que les deux premières. Si Touvier n'avait pas tenu à toucher sa part d'héritage et à habiter la maison de Chambéry, il aurait pu dès 1967, en changeant de région, retrouver une existence presque normale. Son obstination n'aboutit qu'à attirer l'attention sur son cas, jusque-là fort peu connu du public.

L'hebdomadaire *L'Express*, ayant pris le temps d'enquêter dans la région lyonnaise, publie le 5 juin 1972, sous la signature de Jacques Derogy, un reportage accablant sur l'ancien milicien, alors âgé de cinquante-sept ans. Pris de panique, Touvier quitte définitivement son domicile savoyard moins d'une semaine plus tard. Si beaucoup de ses défenseurs lui restent fidèles, il perd tout de même l'appui de Duquaire, contraint à une autocritique publique, et les couvents dans lesquels il se réfugie (avec sa femme et ses enfants, désormais adultes) appartiennent à la branche la plus traditionaliste de l'Église, voire à sa branche intégriste, dirigée par Mgr Lefebvre, qui d'ailleurs se sépare de Rome en 1976.

Jusqu'en 1981, si Touvier se cache, c'est pour échapper à des tueurs juifs ou communistes qui n'existent, à ce que l'on en sait, que dans son imagination. Le 27 novembre 1981, en revanche, un nouveau mandat d'arrêt est lancé contre lui : il est désormais poursuivi pour des « crimes contre l'humanité », et ceux-là sont imprescriptibles. Mais les recherches policières ne sont guère plus diligentes qu'auparavant.

Ce n'est qu'en 1988, lorsque le juge Claude Grellier confie l'enquête à la gendarmerie, que sont enregistrés de réels progrès sous la direction du colonel Recordon. Suivant la piste de l'organisation traditionaliste « Chevaliers de Notre-Dame », elle mène les gendarmes, de couvent en abbaye, vers le prieuré Saint-Joseph de Nice où Touvier est arrêté le 29 mai 1989. Le processus judiciaire restera fort lent : il est marqué notamment par un non-lieu, en 1992, prononcé par la cour d'appel de Paris, au motif que le crime contre l'humanité doit avoir pour cadre un plan concerté et que Vichy, employeur de Touvier, n'en avait pas ! Devant l'indignation de l'opinion, cet arrêt est cassé.

Le procès a lieu en mars-avril 1994. Le jugement déclare Touvier « coupable de s'être à Lyon, les 28 et 29 juin 1944, sciemment rendu complice d'un crime contre l'humanité, d'une part en donnant des instructions, d'autre part en aidant ou assistant avec connaissance les auteurs des homicides volontaires commis avec préméditation sur les personnes de MM. Glaeser Léo, Krzyzkowski Louis, Schlusselman Maurice, Benzimra Claude, Zeizig Émile, Prock Siegfried et d'un homme non identifié, alors que lesdits homicides volontaires entraient dans le cadre d'un plan concerté pour le compte d'un État pratiquant une politique d'hégémonie idéologique, en l'occurrence l'Allemagne nazie, à l'encontre de personnes choisies en raison de leur appartenance à une collectivité raciale ou religieuse ». Condamné à la réclusion à perpétuité, Touvier meurt à l'hôpital de la prison de Fresnes le 17 juillet 1996.

Brian Moore (1921-1999) est un romancier catholique en réaction contre une éducation rigoriste reçue à Belfast. Mobilisé pendant la guerre dans les transports de l'armée britannique, installé en Amérique du Nord depuis 1947 (d'abord au Canada puis aux États-Unis : il vit et travaille dans une villa de Malibu à partir de 1967), il écrit une vingtaine de romans[1] ainsi que des scénarios cinématographiques à suspense (tel celui du *Rideau déchiré*, de Hitchcock, en 1966). À partir du milieu des années 60, il situe l'action de ses romans dans des pays agités par de violents troubles politiques. Son œuvre est alors la lecture favorite d'un maître du genre, Graham Greene.

Dans les faits réels dont il s'inspire pour écrire *La Déclaration*, Moore prend ce qui l'intéresse et il invente ce qui lui manque. Pour la commodité de la lecture, il fond plusieurs personnages en un seul (ainsi le commissaire de 1947 et celui qui trahit Brossard en 1989) et étire dans le temps le rôle de certains autres (tel Le Moyne, qui jusqu'au bout conseille Brossard, alors que le chanoine Duquaire ne semble plus s'être occupé de Touvier après 1972). Si les personnages sont stylisés et simplifiés, la France aussi, qui sert de cadre historique et géographique, est réduite à quelques traits parfois caricaturaux. Certes, la gendarmerie se montre, en l'occurrence, plus efficace que la police, mais faire de la première, par nature, une institution résistante et de la seconde une officine collaborationniste est pour le moins aventureux. La raison principale de l'efficacité supérieure de la gendarmerie, loin d'être idéologique, est technique : elle seule avait les moyens d'enquêter avec diligence sur l'ensemble du territoire. Quant à l'absence de complaisance de certains cadres de la police, et non des moindres, pour

---

1. Le dernier roman de Brian Moore, *The Magician's Wife*, qui a pour cadre l'Algérie coloniale sous le Second Empire, paraîtra en 2005 aux éditions de l'Archipel sous le titre *L'Épouse du magicien*.

les miliciens en fuite, il suffira pour la démontrer de rappeler l'action du commissaire Jacques Delarue, ancien résistant du mouvement Combat, chargé sous de Gaulle et Pompidou d'un certain nombre d'enquêtes délicates à caractère historique. Son rapport accablant sur Touvier, en 1970, donna bien du tracas aux supporters du fugitif, induisant leur forcing désespéré et finalement très maladroit.

Moore ne craint pas de tourner complètement le dos à la vérité historique en faisant assassiner Touvier, juste avant son arrestation, par un haut responsable parisien de la police, à l'instigation de Maurice Papon. Celui-ci, né en 1910, avait été sous l'Occupation secrétaire général de la préfecture de région à Bordeaux. Il avait conservé cette fonction lors de la Libération, avant de faire une brillante carrière couronnée par des fonctions ministérielles dans les années 70. En 1981, il fut mis en cause pour son rôle dans la déportation des Juifs de Gironde et un processus judiciaire très lent, ouvertement désapprouvé par le président Mitterrand, aboutit, sous son successeur Jacques Chirac, à un procès très long et très médiatisé, conclu par sa condamnation à dix ans de réclusion pour « complicité de crimes contre l'humanité » en 1998. Sa cause avait été amplement desservie par son attitude, précisément aux antipodes de celle que lui prête Moore. Loin de se sentir coupable ou d'avoir voulu faire assassiner Touvier pour ne pas lui être assimilé, il traita longtemps l'affaire par le mépris, estimant n'avoir fait que son devoir de fonctionnaire entre le marteau de Vichy et l'enclume allemande. Si beaucoup lui reprochent de n'avoir pas eu un mot de compassion pour les victimes du processus génocidaire auquel il a prêté la main, il ne les a pas non plus insultées. Ce n'était qu'un froid serviteur de l'État, qui ne laissait pas percevoir, dans le service ou en dehors, des sentiments tels que le philosémitisme – ou son contraire.

Ces précisions apportées, il nous reste un roman remarquable, une analyse psychologique vraisemblable des dernières semaines de liberté de Touvier et, sans doute, un document que les historiens jugeront un jour utile sur l'approche anglo-saxonne des contradictions françaises à la fin du XXᵉ siècle.

*Cet ouvrage a été composé
par Atlant' Communication
aux Sables-d'Olonne (Vendée)*

Impression réalisée sur CAMERON par

BRODARD & TAUPIN

GROUPE CPI

*La Flèche (Sarthe)
en février 2004*

*pour le compte des Éditions de l'Archipel
département éditorial
de la S.A.R.L. Écriture-Communication*

Imprimé en France
N° d'édition : 661 – N° d'impression : 22508
Dépôt légal : février 2004

International Human Resource Management

'onducting business across national borders is nothing new; the Knights Templar
:re banking internationally as long ago as 1135. But modern globalization
rocesses raise different challenges. Multinational corporations increasingly out-
>urce their operations to low-cost countries, while even small firms can operate
lobally through new technologies and fewer trade restrictions. And as the world
ecomes smaller and labour movements more common, an international under-
tanding of human resource management is essential.

The second edition of *International Human Resource Management: A European
erspective* provides a fully updated and revised analysis of this important area. Its
nnovative, multidisciplinary approach allows a holistic picture to emerge in which
.ey issues are assessed from organizational, individual and societal perspectives.
The collection is divided into three parts:

- The contemporary internationalization context
- The management of international employees
- Strategic issues facing international HR managers

Supported by new research, and including work from eminent writers in the
ield, the book discusses issues as diverse as the relative absence of women in inter-
iational work, the ethical merits of localization and the context faced by organiza-
ions like the United Nations. This important collection is an insightful and timely
ddition to the literature. It will be a valuable tool for all students, researchers and
ractitioners working in international business and human resource management.

iichael Dickmann is a Senior Lecturer in Human Resource Management at
:anfield School of Management and Director of the Masters in International
RM. Michael has published widely on international HR strategies, structures,
ternational mobility and global career topics and has consulted with many multi-
itional corporations and intergovernmental organizations.

hris Brewster is Professor of International Human Resource Management at
.he University of Reading, UK. He has conducted extensive research in the field
of international and comparative HRM and published over 20 books and more than
100 articles.

Paul Sparrow is Director of the Centre for Performance-led HR and Professor
of International Human Resource Management at Lancaster University
Management School, UK. He has consulted with major multinationals, public
sector organizations and intergovernmental agencies, is on the US Academy of
Management's F   stitute's Global
Talent Managen

B100 000004 3839DB